Troseddau Hynod 2

50 o lofruddiaethau
a marwolaethau amheus
yng Nghymru

Roy Davies
(gol: Lyn Ebenezer)

Argraffiad cyntaf: Hydref 2004

Cyhoeddir o dan gynllun comisiwn
Cyngor Llyfrau Cymru.

Rhif Llyfr Safonol Rhyngwladol:
0-86381-934-6

Llun Clawr: Dylan Williams
Cynllun Clawr: Sian Parri

Argraffwyd a chyhoeddwyd gan Wasg Carreg Gwalch,
12 Iard yr Orsaf, Llanrwst, Dyffryn Conwy, LL26 0EH.
℡ 01492 642031
🖷 01492 641502
✆ llyfrau@carreg gwalch.co.uk
Lle ar y we: www.carreg-gwalch.co.uk

Cynnwys

Rhagair

Pleser pur fu cael golygu ail gyfrol Roy Davies ar Droseddau Hynod. Dyma hanner-cant arall o achosion yn ymwneud â llofruddiaethau, dynladdiadau ac ambell achos sy'n dal heb ei ddatrys.

Daw'r achosion o bob rhan o Gymru, yn llythrennol o Fôn i Fynwy, o Sir Gaerfyrddin i'r ffin â Lloegr. Maent yn amrywio o ran amser o ganol y ddeunawfed ganrif i ddiwedd y ganrif ddiwethaf.

Yr hyn sy'n werthfawr yn yr hanesion yw eu bod, yn ogystal â chofnodi gwahanol achosion hefyd yn ddarluniau byw o'r gymdeithas lle digwyddodd yr achosion hynny. Yn wir, gellir dysgu llawer o hanes diweddar Cymru o'u darllen. Mae'r nifer helaeth o lofruddiaethau yng Nghaerdydd, er enghraifft, yn adlewyrchu'r mewnlifiad byd-eang i ardal y porthladd a hiliaeth y Cymry brodorol tuag at y dieithriaid heb sôn am hiliaeth y dieithriaid at ei gilydd.

Ceir enghraifft arall o'r elfen gosmopolitaidd mewn achos o ŵr a gwraig Asiaidd a gynhyrfwyd at ladd oherwydd i'w mab wfftio'i ddiwylliant a'i grefydd frodorol. Yn gwbl gyferbyniol cawn y materol yn gyrru gŵr i ladd ei wraig a cheisio lladd ei fab am eu bod nhw'n fygythiad i'w berchnogaeth o'i gar newydd.

Caiff yr hen, hen stori o eiddigedd yn troi at ladd ei hailadrodd droeon, yn ogystal â'r stori oesol o ferch feichiog yn cael ei llofruddio gan gyn-gariad. Mewn achos arall, gormod o gariad a yrrodd lanc i ladd merch ar risiau'r capel, a hithau ar y ffordd i'r cwrdd ar nos Sul.

Yn yr achos hynaf i'w gofnodi ceir disgrifiad o lofrudd yn cael ei sibedu – hynny yw, ei hongian allan ar y mynydd wedi iddo gael ei grogi fel y gallai'r brain fwydo oddi ar ei gorff. Yn Llanandras crogwyd merch ifanc 17 oed am ladd ei baban newydd-anedig mewn anobaith llwyr. A meddyliwch am dorf o tua 15,000 yn ymgynnull i weld dienyddiad cyhoeddus yn Abertawe. Yna cawn was fferm yn cael ei saethu'n farw mewn gwaed oer a'i laddwr yn cerdded yn rhydd o'r llys.

Er bod marwolaeth yn rhywbeth trist i rywun bob amser, nid yw'r gyfrol heb ei hiwmor. Meddyliwch am grogwr yn rhannu ei gardiau busnes a oedd yn cario'i enw a'i waith, 'James Berry, Executioner' ac yna'n ymddiheuro am absenoldeb border du o gwmpas y cardiau. A llofrudd, pan gynigiwyd iddo'i ddymuniad olaf, yn gofyn a gâi ymladd â phoncampwr pwyoau trwm y byd, Bob Fitzimmons.

Fel hanesydd troseddol mae Roy Davies yn unigryw – mae'n gyn-blismon a ddringodd i fod yn Ddirprwy Bennaeth y *Regional Crime Squad* yng Nghymru – yn wir, bu'n ymwneud â nifer o'r achosion a gofnodir yma. Ar ben hynny mae'n hyddysg yng ngweinyddiaeth y gyfraith fel y gall esbonio i ni'r gwahaniaeth sylfaenol rhwng llofruddiaeth a dynladdiad ac oblygiadau'r *Homicide Act 1957*. Ac yn goron ar y cyfan mae'n llenor medrus a ddilynodd gwrs creadigol yng Ngholeg y Drindod, Caerfyrddin.

Gyda llaw, Roy wnaeth esbonio wrthyf yr *etiquette* cyfreithiol sy'n gwahaniaethu rhwng dynion a menywod sy'n Farnwyr. Gelwir Barnwr gwrywaidd yn *'Mr Justice'*, neu Mr Ustus, a Barnwr benywaidd yn *'Mrs Justice'* neu Mrs Ustus, hyd yn oed os nad yw honno'n briod. Wedi'r cyfan, esboniodd Roy, byddai galw gwraig sy'n Farnwr ac yn sengl yn *'Miss Justice'* braidd yn anffodus.

Mae hynna, gyda llaw, yn wir.

Lyn Ebenezer
Haf 2004

8

MYNEGAI

Diffynnydd	Dioddefydd	Lleoliad
ALLEN, Thomas	Frederick George Kent	Abertawe
BAKERLIS, Alex	Winifred Ellen Fortt	Caerdydd
BRICKNELL, Patrick Reginald, HUGGINS, Brian James a PHILIP, Michael	Gomer Charles	Caerdydd
CALER, Thomas	Alice ac Ayesha Ibrahim	Caerdydd
CARTER, Evan George	Ruby May Carter	Penllyn, Y Bontfaen
COE, Robert	John Davies	Aberpennar
COOKE, Gerald James	Elizabeth Ann Stephenson	Sandycroft
DAVIES, David	David Thomas Glyn Jones	Caio
DENNICK, Richard John	Alan Jones	Llanberis

EDWARDS, Trevor John	Elsie Cook	Llanwonno
EMMANUEL, William	Pegi Dafydd	Penbre
EVANS, David	Hannah Davies	Llanybydder
EVANS, David John	Anna Louise Humphries	Penley
GARCIA, Joseph	William, Elisabeth, Charlotte, Frederick ac Alice Watkins	Llangiby
GIBBS, James Henry	Susan Gibbs	Llanrhymni
HAMILTON, Lester Augustus	Doris Appleton	Caerdydd
HENRY, Ralph	Elvet Jeremiah	Brynaman
JENKINS, Griffith	Mary Jenkins	Cross Hands
JONES, Daniel	Hannah Jones	Llanddarog
JOYNSON, Frank Booth	Margaret Davies	Coedpoeth, Wrecsam
LACEY, William Augustus	Pauline Lacey	Pontypridd

LANE, Joseph Alan Vincent	Samuel Branston Lane	Brynaman
LEE, Nicky	Jennifer Wendy Williams	Llanelli
LEWIS, Joseph	Robert Scott	Margam
McINTOSH, Robert Thomas	Beryl Beechy	Porth Talbot
MOHAMMED, Gulham a Salamante	Joan a Maureen	Porth Talbot
MORGAN, Mary	Baban	Llanandras
MORRIS, David	John Howells	Cydweli
MURPHY, William	Gwen Ellen Jones	Caergybi
PHILLIPS, Henry	Margaret Phillips	Knelston, Gŵyr
REES, David	Thomas Davies	Dafen, Llanelli
RICHARDS, Owen Thomas	Gwendoline Jones	Bodorgan
ROBERTS, David	David Thomas	Y Bontfaen
ROBERTS, George Edward	Arthur Allen	Caerdydd

RUMPING, Hendrikus Wilhelmus	Margaret Gregory Hughes	Porthaethwy
SAMUEL, Julian	Margaret Florence Gray	Pwll, Llanelli
SAMUEL, William	William Mabbott	Y Trallwng
SIMM, Alan	Jane Simm	Caerfyrddin
SINGH, Ajit	Joan Marion Thomas	Penybont-ar-Ogwr
STILLS, George	Rachel Hannah Stills	Pontycymer ger Maesteg
SULLIVAN, William	David a Margaret Thomas	Penygroes Oped ger Pontypŵl
THOMAS, George	Marie Beddoe Thomas	Pontlotyn
THOMAS, Graham	Henry James Noot	Llanelli
WILLIAMS, Caroline	William Williams	Llanrwst
WRIGHT, Brian	Mary Jane Williams	Llanelli
Llofruddiaeth Mary a Samuel EVANS		Cribyn ger Llamb

Marwolaeth Mabel GREENWOOD	Cydweli
Marwolaeth Reuben STEWART	Caerdydd
Marwolaeth John THOMAS	Cydweli
Marwolaeth William Gethin THOMAS	Felin Wen, ger Caerfyrddin

Thomas Allen

Nid yn aml y bydd llofrudd yn gofyn am faddeuant gan weddw'r sawl a lofruddiodd. Yn anamlach fyth y bydd gweddw'n maddau i lofrudd ei gŵr. Ond dyna ddigwyddodd yn hanes Thomas Allen a Fanny Maria Kent.

Yn 1889, cadwai Fanny a'i gŵr, Frederick George Kent, dafarn y *Gloucester* yn Gloucester Place, Abertawe. Roedd ganddynt dri o blant, a chyflogent ddwy forwyn, Annie Bennallick ac Elizabeth Goss, y ddwy yn lletya gyda'r teulu.

Wedi cau'r dafarn ar nos Sadwrn, 10 Chwefror, aeth pawb i'w gwelâu. Aeth Frederick a Fanny ag arian y bar gyda hwy gan gloi drws eu stafell wely. Yna, tua 5.00 o'r gloch y bore, clywodd Fanny sŵn rhywun yn y stafell. Gwelodd fatsien yn cael ei thanio, ac yn ei golau gwelodd drumwedd dyn dieithr. Gallai weld ei fod yn ddyn du. Dihunodd ei gŵr ar unwaith. Aeth yn ymrafael rhwng y tafarnwr a'r tresmaswr. Cyneuodd Fanny gannwyll a gafaelodd yn rifolfer ei gŵr, a gadwai o dan y gobennydd. Taniodd at y dieithryn a'i daro yn ei forddwyd dde. Llusgodd y dyn ei hun o dan y gwely gan gripian allan yr ochr arall. Yna taflodd ddrych at Frederick a Fanny cyn llwyddo i ddianc drwy'r drws cefn.

O glywed y sŵn, brysiodd y ddwy forwyn o'u stafell uwchben i helpu eu cyflogwyr. Gwelwyd fod y tafarnwr yn gwaedu'n ddrwg. Galwyd ar Dr William Morgan a gwelodd hwnnw fod gwddf Frederick wedi'i dorri ymron o glust i glust nes hollti'r corn gwddf. Gwelodd ddwy archoll arall yn y frest, un yn bum modfedd o hyd ac wedi treiddio i'r ysgyfaint. Bu farw Frederick am 8.05 y bore hwnnw. Archwiliwyd y lle gan yr heddlu a chanfuwyd rasel, heb ei charn, ynghyd â chap a phâr o esgidiau dyn.

Yn rhif 21, Heol Pentre Estyll trigai Mary Jane Shepherd a'i gŵr. Ers tri mis roedd morwr du o'r enw Thomas Allen wedi bod yn lletya yno. Roedd Allen a Mr Shepherd wedi bod yn forwyr gyda'i gilydd ar yr SS Katie. Câi Allen hi'n anodd i dalu ei ffordd a bu Mrs Shepherd yn pwyso arno am y rhent. Cofiai ei weld yn gadael y tŷ ar y bore dydd Sadwrn. Fe wnaeth hi hefyd adnabod cap ac esgidiau Allen ar unwaith. Roedd gwraig weddw, Bridget Jane Murray, wedi rhoi'r sgidiau i Allen fel anrheg, ac fe wnaeth hithau hefyd eu hadnabod.

Fe wnaeth John Hill, tafarnwr y Queens yn Burrows Place, hefyd adnabod y cap fel un Allen, cap a wisgai'r morwr yno ar y nos Sadwrn pan yfodd dair diod yn y bar. Gadawodd am 10.15 gan addo dychwelyd i dalu am y diodydd. Ni welodd John Hill ef wedyn.

Roedd y Cwnstabl Cross, sef PC15, ar gais Mrs Kent, wedi gadael ei ddyletswydd yn Somerset Place ar fore'r ymosodiad gan gyrraedd y Gloucester am 5.36. Roedd eira ar lawr, ac yn y cefn gwelwyd arwyddion i'r llofrudd ddefnyddio cert i hwyluso'i ffordd dros y wal. Canfuwyd olion traed rhywun heb esgidiau yn arwain tuag at Ddoc y De.

Holodd yr heddlu ddyn du o'r enw Samuel Paul, cogydd ar y llong Columbia a oedd wedi angori yn Noc y Globe. Cafwyd ganddo wybodaeth bwysig. Tua 5.00 ar y prynhawn Sadwrn roedd wedi gweld Allen yn gadael y llong. Y tro nesaf iddo'i weld oedd am 8.00 fore trannoeth pan ddychwelodd. Edrychai fel petai wedi bod yn ymladd ac roedd olion gwaed ar lewys ei grys. Ni wisgai esgidiau a rhoddodd Paul bâr o sliperi iddo.

Aethpwyd i chwilio am Thomas Allen a buan y'i gwelwyd gan yrrwr injan yn y *Globe Dry Dock* yn ceisio cuddio'i hun mewn hen le tân. Canfuwyd anaf ar ei forddwyd dde a gwelodd Dr David Howell dwll bwled, gyda'r fwled yn dal yng nghnawd y forddwyd. O'i thynnu allan, gwelwyd ei bod hi'r un fath yn union â'r bwledi a oedd ym meddiant Mrs Kent.

Ceisiodd Allen berswadio'r Crwner mai un o'r morwynion, Annie Bennallick, oedd wedi ei gymell i ddwyn o'r dafarn. Gwrthodwyd ei honiad. Ymddangosodd yn Mrawdlys Caerdydd gerbron Mr Ustus Grantham, ac ar ôl clywed y dystiolaeth yn ei erbyn, buan iawn y daeth y rheithgor i benderfyniad o 'euog'. Gwisgodd y Barnwr y cap du a chyhoeddodd y ddedfryd. Cyn iddi gael ei gweithredu, danfonodd Allen lythyr at Mrs Kent yn erfyn am faddeuant. Derbyniodd Rheolwr y carchar, Major Knight, ateb oddi wrthi wedi ei ddyddio 9 Ebrill:

'A fyddwch mor garedig â gadael i Thomas Allen wybod, fel yr ydwyf yn gobeithio maddeuant am fy mhechodau i, felly y maddeuaf iddo yntau. Rhaid gadael y gweddill i'r Duw Hollalluog, yr hwn sydd yn gwybod am feddyliau ein calonnau.'

Cafodd Allen gyfle i ateb gan y Rheolwr. Ni dderbyniodd y cynnig. Dywedwyd iddo gysgu o ganol nos tan 5.00 ar ei fore olaf a gadawodd y rhan fwyaf o'i frecwast heb ei fwyta. Am 8.00 o'r gloch fore dydd Mercher, 10 Ebrill, canwyd cnul cloch Carchar Abertawe; yn ôl disgrifiad un gohebydd, 'cnul soniarus, a'r canu yn cynyddu mewn difrifoldeb' wrth i ciliadau'r dienyddio nesáu. O wybod na chafodd ei apêl ei derbyn, roedd Allen wedi treulio llawer o'i amser yng nghwmni Caplan y Carchar, y Parch. Hudson.

Berry oedd y crogwr, a chyrhaeddodd Abertawe yn hwyr ar noswyl y crogi ar ôl bod yn cyflawni dyletswydd debyg yn Nulyn. Clymwyd dwylo a breichiau Allen, arwydd iddo, hwyrach, frwydro am ei fywyd. Wrth iddo gael ei arwain tuag at y crocbren clywyd geiriau'r Caplan, 'Wele Oen Duw, yr hwn sydd yn tynnu ymaith bechodau'r byd.' Clywyd Allen yn ateb, 'Arglwydd Iesu, derbyn fy ysbryd y diwrnod hwn . . . Arglwydd Iesu, derbyn fy enaid.'

Roedd Allen yn ddyn llydan gyda gwddf anarferol o fawr. Rhoddwyd cwymp o chwe throedfedd a chwe modfedd iddo. Y tu allan i'r carchar ymgasglodd torf o ddwy fil, a phan godwyd y faner ddu, clywyd rhai yn cymeradwyo.

Yn y Cwest ar ei farwolaeth, clywyd nad morwr oedd Allen mewn gwirionedd ond yn hytrach crydd a labrwr. Clywyd yn ogystal iddo gymryd rhwng dwy funud a hanner a thair munud i farw.

Alex Bakerlis

Roedd gan George Fortt, perchennog gwesty yn nociau Caerdydd, dair o ferched, Olga, Marion a Winifred Ellen. Safai'r gwesty yn Stryd Bute, ardal a oedd yn enwog i forwyr drwy'r byd. Yn wir, roedd yr ardal yn frith o westyau tebyg ar gyfer y cannoedd o forwyr a oedd angen llety tra oedd eu llongau yn y dociau.

Ychydig ddyddiau cyn dechrau'r Rhyfel Mawr daeth morwr Groegaidd dwy ar hugain oed o'r enw Alex Bakerlis i sefyll yn lletty Fortt. Syrthiodd y gŵr ifanc mewn cariad ag un o'r merched, sef Winifred Ellen, neu Nellie i'w ffrindiau. Dim ond dwy ar bymtheg oed oedd hi ar y pryd.

Mae'n debyg i Nellie addo priodi Alex a rhoddodd yntau fodrwy ddyweddïo iddi. Ond fel llawer i ŵr ifanc arall mewn cariad, roedd Alex yn dueddol o drol'n genfigennus. Tra oedd yn hwylio ar fordeithiau i wledydd pell byddai'n ei dychmygu yng nghwmni rhyw forwr arall a letyai yn ei chartref.

Ym mis Medi 1916 dywedodd Marion wrth ei thad fod y Groegwr wedi dangos rifolfer iddi ac wedi bygwth saethu Nellie am iddi newid ei meddwl ynglŷn â'i briodi. Aeth y tad ar ei union at yr heddlu a chafodd Bakerlis ei holi gan y Cwnstabl Porter. Cymerwyd y rifolfer oddi arno a dirwywyd ef £10 yn Llys yr Heddlu am fod â rifolfer wedi'i lwytho yn ei feddiant, ac yntau'n dramorwr.

Taflodd George Fortt ef allan o'r llety ac aeth Bakerlis i letya gyda George Antonio yn Stryd Wharf. Ar yr un pryd, tynnodd Nellie y fodrwy oddi ar ei bys a'i rhoi i ofal ffrind iddi, Rhoda Heard. Rhoddodd nifer o lythyron oddi wrth Bakerlis iddi hefyd, i'w dychwelyd i'r Groegwr. Ond gwrthododd Bakerlis eu derbyn gan fynnu mai dim ond oddi wrth Nellie ei hun y gwnâi hynny.

Ar nos Nadolig 1916 roedd Nellie a Rhoda'n dychwelyd o barti tua 9.30. Roedd Rhoda'n gwisgo'r fodrwy a roddasai Bakerlis i Nellie. Wrth iddynt groesi Pont Bute daeth Bakerlis ar eu traws. Gofynnodd i Nellie am y fodrwy yn ôl. Tynnodd Rhoda'r fodrwy oddi ar ei bys a'i rhoi i Nellie i'w throsglwyddo i Bakerlis. Yna gofynnodd am ei lythyron yn ôl. Cynigiodd Nellie fynd adref i'w nôl. A dyna a wnaeth yng nghwmni Rhoda, gyda Bakerlis yn dilyn.

Yna, heb unrhyw rybudd, neidiodd y llanc ar Nellie a'i tharo nifer o weithiau. Sylweddolodd Rhoda fod cyllell yn ei law a gwelodd ef yn ei gwthio'n ddi-baid i gorff ei ffrind. Ceisiodd Rhoda ei atal ond roedd Bakerlis fel gwallgofddyn. Rhedodd Rhoda gan sgrechian tua chartref Nellie. Ar y ffordd gwelodd y Cwnstabl Arthur Moss. Gwelodd hwnnw Bakerlis yn dianc. Rhedodd ar ei ôl a'i ddal. Cymerodd y gyllell oddi arno a chyfaddefodd Bakerlis iddo 'ladd Nellie'.

Pan gyrhaeddodd George Fortt, roedd ei ferch yn anymwybodol. Cododd hi'n dyner a'i chario i'r tŷ. Rhuthrwyd hi i Ysbyty'r Brenin Edward VII, ond bu farw nos Iau, 28 Rhagfyr.

Dangosodd yr archwiliad *post mortem* gan Dr Razzak fod yna symptomau o wenwyno septig wedi datblygu yng nghorff y ferch ddiwrnod cyn ei marwolaeth, a hynny – o ganlyniad i'w hanafiadau – oedd achos uniongyrchol ei marwolaeth.

Yn y llys, mewn ymateb i'r cyhuddiad o lofruddio,

haerodd Bakerlis wrth y Ditectif Brif Arolygydd William Henry Harries ei fod yn feddw ar y pryd ac na wyddai ymhle y cafodd y gyllell. Ar ddydd Mercher, 10 Ionawr, fe'i traddodwyd i sefyll ei brawf. Ac ar 6 Mawrth ymddangosodd gerbron Mr Ustus Bailhache ym Mrawdlys Caerdydd pan agorodd W. Llewelyn Williams A.S. ar ran y Goron gyda chymorth ei Gwnsler Iau, J.A.S. Lovat-Fraser. Cynrychiolwyd Bakerlis gan E. Marlay Sampson.

Cafwyd pedwar llygad-dyst i'r llofruddiaeth. Yn ogystal â Rhoda Heard roedd Jane Redquist yn cerdded ar hyd Stryd Bute ar y pryd. Gyferbyn ag Eglwys y Santes Fair clywodd lais merch yn sgrechian a phledio: 'O! Alex, paid!' Gwelodd Bakerlis ar ei liniau'n trywanu merch ddwywaith â chyllell. Cariai'r tyst faban ar y pryd. Fe'i gosododd ym mreichiau milwr oedd yn digwydd mynd heibio tra aeth hi i chwilio am blismon. Dau fachgen ysgol oedd y llygad dystion eraill, William Gale a Thomas Powell. Aethant draw at y ferch i estyn cymorth. Gwelsant yr ymosodwr yn dianc cyn iddo gael ei ddal gan y Cwnstabl Moss.

I wrthbrofi honiad Bakerlis ei fod yn feddw ar y pryd ac na wyddai o ble y daeth y gyllell, galwyd ar y Sarsiant John Harries a'r Ditectif Sarsiant Pugsley i dystio fod Bakerlis yn hollol sobr pan ddygwyd ef i Swyddfa'r Heddlu. Tystiodd perchennog y llety lle'r arhosai Bakerlis mai ei gyllell ef a ddefnyddiwyd i lofruddio'r ferch. Roedd hyn yn tueddu i ddangos bwriad ymlaen llaw.

Ceisiodd yr amddiffyniad ddadlau nad oedd Bakerlis yn ei iawn bwyll pan ymosododd ar Nellie. Tystiodd y meddyg carchar, Dr Davies, iddo archwilio Bakerlis nifer o weithiau. Roedd wedi dangos edifeirwch am ladd Nellie, ond teimlai ei bod hi'n gyfiawn iddo wneud hynny. Cadarnhaodd y meddyg y gallai siomedigaeth mewn cariad droi person o natur emosiynol yn wallgof. Gallai synfyfyrio dros y siom yrru ei allu i resymu ar chwâl. Ond hyd yn oed wedyn, meddai, gallai wahaniaethu rhwng drwg a da.

Dywedodd y Barnwr wrth grynhoi nad oedd ynfydrwydd yn ddigon o esgus ynddo'i hun. Rhaid hefyd fyddai profi nad oedd yn sylweddoli natur ac ansawdd y weithred ac nad oedd yn gwybod ei fod yn cyflawni rhywbeth na ddylai.

Ar ôl ychydig dros ddeng munud cafwyd Bakerlis yn euog. Wrth iddo gael ei ddedfrydu i farwolaeth, safodd yn swrth a digyffro. Yn y cyfamser canfuwyd tyst a fynnai fod Bakerlis wedi yfed yn drwm ar ddiwrnod y llofruddiaeth. Ond yn y Llys Apêl dywedodd yr Ustus Isaac a'r Arglwydd Brif Ustusiaid Ridley ac Atkin fod penderfyniad y Brawdlys yn un cywir.

Cyn ei ddienyddiad fe gysurwyd Bakerlis yn ei gell gan Offeiriad Uniongred Groegaidd, Archimandrite Isaiah. Ddydd Mawrth, 10 Ebrill 1917, crogwyd ef yng Ngharchar Caerdydd gan John Ellis yn cael ei gynorthwyo gan Edward Taylor.

Patrick Reginald Bricknell, Brian James Hoggins a Michael Philip

Ystyriai Gomer Charles ei hun yn ddyn ffodus pan lwyddodd unwaith i oroesi damwain awyren. Ond doedd dim dianc rhag ergyd o faril dryll a daniwyd chwe modfedd o'i wyneb nes chwalu ei benglog yn dipiau.

Gŵr gweddw 59 mlwydd oed oedd Gomer Charles. Trigai yn rhif 22 Park Place, Caerdydd. Yn enedigol o Bontypridd, rasys ceffylau a milgwn oedd ei ddiléit ers dyddiau ei ieuenctid. Ar ôl ennill gwobr ar yr *Irish Sweepstakes*, agorodd swyddfa fetio yn Sgwâr yr Orsaf, Pontypridd ac yna yn Sgwâr y Farchnad. Byddai hefyd yn dilyn rasys traciau bychain yn Nyfnaint, Cas-gwent a Chaerllion ar Wysg.

Ffynnodd ei fusnes nes ei alluogi, yn fuan iawn, i fedru fforddio hurio awyrennau i'w hedfan i wahanol gyfarfodydd rasio. Unwaith, tra oedd yn hedfan i Rasys Caerlŷr, plymiodd yr awyren i'r ddaear. Ond, yn rhyfeddol, ni laddwyd neb.

Ddechrau'r pum degau fe'i gwaharddwyd gan y *Jockey Club* am iddo redeg un o'i geffylau yn enw rhywun arall, ond enillodd ei drwydded yn ôl fis Gorffennaf 1953. Y mis hwnnw enillwyd y *Spa Selling Plate* gan geffyl o Ffrainc, *Francassal*, ar ods o 10–1. Honnwyd i Gomer Charles ac eraill gynllwynio i ennill arian drwy dwyllo'r *Bath Racecourse Co. Ltd.* Torrwyd cebl y *blower* i'r cwrs ychydig cyn y ras. Ymddangosodd Charles yn Llys yr *Old Bailey* yn 1954 a charcharwyd ef am ddwy flynedd.

Ond cynyddu wnaeth ei fusnes a dilynai bron y cyfan o brif rasys Prydain. Ar y nos Sul, 11 Rhagfyr 1966, am 9.00 o'r gloch, eisteddai ar lawr cyntaf ei gartref yn gwylio rhaglen deledu gyda ffrind teuluol a fyddai'n coginio iddo, Miss Winifred Deacy. Cododd Charles i ateb cloch y drws ffrynt. Clywodd Miss Deacy leisiau ac aeth i ben y grisiau i edrych. Gwelodd Gomer Charles yn llusgo'i hun ar draws y cyntedd wedi'i saethu. Deialodd y wraig 999 ac yna rhedodd allan am help. Clywodd gar modur yn gyrru'n gyflym i ffwrdd.

Rhuthrodd dau blismon i helpu Miss Deacy. Galwyd ar feddyg, ond roedd Gomer Charles yn farw. Roedd y plismyn wedi sylwi ar gar modur tywyll yn cael ei yrru o'r fangre a danfonwyd disgrifiad ohono i bob car heddlu.

Tua 9.45 ceisiodd dau blismon o Heddlu Sir Fynwy atal car a oedd yn gor-yrru ar y ffordd rhwng Caerdydd a Chasnewydd. Roedd dau ddyn, ar wahân i'r gyrrwr, yn y car. Canfuwyd y car yn ddiweddarach wedi'i barcio ger gwesty'r *Six Bells* ar ffordd yr arfordir. Ynddo roedd Patrick Reginald Bricknell, gyrrwr lorri tair ar hugain oed o Stryd Cornella, Splott. Holwyd Bricknell am y ddau ddyn arall a welwyd yn ei gar, ond gwadodd wrth y Ditectif Sarsiant Elwyn Jones i unrhyw un arall fod gydag ef. Aethpwyd â'r gyrrwr i'w holi ymhellach i Bencadlys yr Heddlu gan swyddog uwch.

Yno, gofynnodd Bricknell am gael siarad ag Elwyn Jones ar ei ben ei hun. Addawodd wrtho y dywedai'r gwir am y llofruddiaeth, gan bwysleisio nad ef oedd yn gyfrifol am dynnu'r trigr. Yna gwnaeth ddatganiad o dan rybudd iddo fynd i gartref Gomer Charles gyda Brian James Hoggins, peiriannydd pump ar hugain oed o Heol yr Eglwys, St Brides, Marshfield, Caerdydd. Honnodd i un ohonynt ganu cloch y drws ac iddo ef, pan ddaeth Charles i'r trothwy, daflu pupur i'w wyneb ac yna i Hoggins ei saethu.

Canfuwyd Hoggins yn cuddio mewn wardrob yn ei gartref. Gwadodd y cyfan i ddechrau. Nid oedd wedi gweld Bricknell ers tri mis a bygythiodd y byddai'n chwalu ei wyneb am i hwnnw gael cyfathrach rywiol gyda'i wraig. Yna cyfaddefodd iddo fod yn rhan o'r digwyddiad. Mynd yno i ddwyn arian oedd y bwriad, meddai, gyda menig am ddwylo Bricknell a sanau am ei ddwylo ef. Mynnai fod y dryll wedi tanio'n ddamweiniol wedi i Bricknell daflu'r pupur ac i'r ddau ohonynt ymrafael am y gwn.

Yna enwodd y trydydd dyn fel Michael Philip, porthor ysbyty o Heol Casnewydd, Caerdydd. Roedd hwnnw wedi ymuno â nhw a gwyddai beth oedd eu bwriad. Ei ran ef yn y weithred oedd cadw llygad ar y stryd. Arestiwyd Philip gan y Ditectif Arolygydd Walter Mullett. Gwadodd y cyfan i ddechrau cyn dangos rholyn o dâp a oedd i'w ddefnyddio i glymu Gomer Charles ac i'w lapio o gwmpas ei geg. Roedd y tri wedi trafod torri i mewn i'r tŷ ac roedd Hoggins wedi dangos dryll iddo â'i faril wedi'i llifio.

Stori Philip oedd iddo aros yn y parc gyferbyn tra oedd y ddau arall yn mynd at y tŷ. Ond pan glywodd ddrws y tŷ yn cau, roedd wedi gadael y parc. Yna clywodd ergyd gwn a gwelodd y ddau arall yn rhedeg allan. Gyrrodd y ddau i ffwrdd gan ei adael ef ar ôl.

Ni allai Hoggins wadu mai ef oedd piau'r gwn. Roedd cyn-gymydog iddo, Sidney Lewis, wedi ei weld wyth neu naw wythnos yn gynharach yn llifio baril dryll yn yr ardd. Arestiwyd y tri, ac ar ôl nifer o ymddangosiadau llys traddodwyd hwy i sefyll eu prawf.

Ymddangosodd y tri o flaen Mr Ustus Mr Glyn Jones ym

Mrawdlys Caerdydd ddydd Llun, 30 Ionawr 1967, gyda Mr W. Mars-Jones yn erlyn. Tystiodd Miss Pamela Jean Dibble, cywasgydd mewn golchdy o Heol Penfro, Caerdydd i Bricknell, dair awr cyn y llofruddiaeth, ofyn iddi ganu cloch drws ffrynt Gomer Charles i weld a oedd clicedi ar y drws. Dywedwyd wrthi y dylai, os deuai rhywun i'r drws, ofyn a oedd 'Gillian' yn byw yno. Aeth Miss Dibble at y drws ond ni wasgodd fotwm y gloch. Pan aeth yn ôl, gofynnodd Bricknell iddi sut ddyn oedd yn byw yno. Atebodd hithau ei fod tua'r un oed â'i thad.

Tystiodd ffermwr 85 mlwydd oed, George Tucker, i'r gwn a ddefnyddiwyd edrych yn union fel un gafodd ei ddwyn o'i gartref yn Lake Road East, Caerdydd rywbryd yn ystod y nos ar 2 Medi, 1966 pan gafodd ychydig arian hefyd ei ddwyn.

Tystiodd Peter, mab Gomer Charles, i £25,000 mewn arian sychion fod yn nhŷ ei dad yr adeg y'i llofruddiwyd. Arian y cwmni, J.M. Charles, Cyf. oedd £5,000 ac arian personol ei dad oedd y gweddill. Yna clywyd fod Michael Philip wedi bod yn gweithio fel hyfforddai i'r cwmni am gyfnod.

Er dadlau'n frwd y dylai'r cyhuddiad gael ei leihau i un o ddynladdiad, ofer fu'r cyfan. Profwyd y tri yn euog o lofruddiaeth a danfonwyd hwy i garchar am oes.

Thomas Caler

Pan ganfuwyd cyrff Gladys Ibrahim a'i baban bach, Ayesha, yn gorwedd ar lawr y gegin, roedd y ddwy wedi eu huno gan angau. Gorweddai'r fechan ar fraich ei mam mewn cofleidiad olaf. Roedd gyddfau'r ddwy wedi'u torri, a'r llawr yn llyn o waed.

Canfuwyd cyrff y fam a'r ferch fach ar fore dydd Sul, 14 Rhagfyr 1919, gan gymdoges, Alice Ali. Roedd Gladys yn wraig i Hamed Ibrahim, a gadwai dŷ bwyta yn rhif 52 Stryd Christina yn ardal y dociau yng Nghaerdydd. Yn ddwy ar hugain oed, roedd Alice yn fam i ddwy ferch fach, un yn dair oed a'r baban yn wyth mis. Y noson cynt roedd Alice wedi gweld Gladys yn sefyll y tu allan i ddrws ei chartref yn disgwyl ei gŵr adref o Lundain.

Pan ganfu Alice gyrff ei chymdoges a'r ferch fach fore trannoeth, rhedodd ar unwaith i Orsaf yr Heddlu. Pan ddychwelodd gyda phlisman sylwodd fod dillad y fam yn anhrefnus, ei sgert wedi'i chodi fyny dros ei chanol. Wrth ddisgwyl am y meddyg sylwodd Alice fod gramoffon a arferai fod yn y stafell ffrynt wedi diflannu.

Roedd Hamed Ibrahim, cyn mynd i Lundain, wedi gadael côt yng ngofal ei wraig. Ym mhoced y gôt roedd bag cynfas yn cynnwys papur £10 a waled yn cynnwys £20 mewn papurau punt. Pan gyrhaeddodd Hamed yn ôl ar y bore dydd Llun, torrwyd y newydd trist wrtho yng ngorsaf rheilffordd y ddinas.

Cadarnhaodd meddyg yr heddlu, Dr J.J. Buist, fod y fam a'r ferch wedi eu llofruddio tua hanner nos ar y nos Sadwrn. Canfu archoll ddofn dair modfedd o hyd yng ngwddf y fam a dangosodd archwiliad *post mortem* arwyddion o wasgfa ar y gwddf fel petai rhywun wedi ceisio tagu Gladys cyn torri ei gwddf. Roedd gwddf Ayesha wedi'i dorri bron iawn o glust i glust gydag archoll arall yn rhedeg i lawr yr asgwrn cefn.

Yn fuan wedi canfod y cyrff, archwiliwyd y tŷ gan y Ditectif Arolygydd Hodges, y dirprwy Brif Gwnstabl W.T. King a'r Cwnstabl Jesse Hayes, ac yn un o'r stafelloedd gwely fe ddaethant o hyd i'r ferch fach arall yn ddianaf. Roedd arogl nwy yn y stafell a'r tap nwy wedi'i agor led y pen. Mewn stafell wag daethant o hyd i fag dillad yn cynnwys dogfennau a llythyrau'n dwyn yr enw 'Tom Caler'. Yn ymyl y bag, ar y llawr, roedd casyn rasel llafn hir.

Dyn du o Zanzibar, Tanzania, Dwyrain Affrica oedd Thomas Caler ond wedi'i eni yn Kareth, India. Gweithiai fel taniwr ar y llong stêm y *Fountain Abbey*. Ar y pryd roedd y llong wedi angori yn Noc y Rhath.

Canfuwyd Caler yng nghaban blaen y llong gydag aelodau o'r criw. Ym mhoced côt fawr a hongiai gerllaw canfuwyd allwedd gramoffon. Pan holwyd ef dywedodd fod y dillad a wisgai'r noson cynt yn y golch, ond mewn man arall canfuwyd ei drowser yn sychu ar beipen ddŵr poeth. Cafwyd ei grys mewn ffwrn yn sychu. Dywedodd iddo gyrraedd y llong y noson cynt tua 10.00. Fe'i harestiwyd ar ddrwgdybiaeth o lofruddiaeth ddwbl.

Wrth i Caler fynd i'w gaban i wisgo, archwiliwyd y lle a chanfuwyd ei ddillad isaf gan y Ditectif Arolygydd Hodges. Roedd olion gwaed arnynt. O dan ei wely bocs canfuwyd côt Hamed Ibrahim. Yno hefyd roedd y gramoffon a recordiau. Gofynnodd Caler a gâi eillio. Archwiliodd Hodges y rasel yn fanwl a gwelodd olion gwaed arni. Yn yr Orsaf Ganolog cyhuddwyd Caler yn ffurfiol a'i ateb oedd, 'Nid y fi a'u lladdodd.'

Yn yr archwiliad *post mortem* ar y fam a'r baban canfuwyd i Gladys gael ei threisio, a hynny ar ôl iddi farw. Achos marwolaeth y ddwy oedd gwaedlif yn dilyn sioc o ganlyniad i'r anafiadau i'w gyddfau.

Pan agorwyd y cwest gan y Crwner, W.L. Yorath, ddydd Mawrth, 16 Rhagfyr, roedd Caler yno. Pan ddaeth Hamed Ibrahim i mewn i dystiolaethu bu'n rhaid ei helpu i'r bocs tystio. Torrodd i lawr gan feichio crio a bu'n rhaid gohirio'i dystiolaeth. Ond wedi iddo'i adfeddiannu ei hun, rhuthrodd tuag at y diffynnydd, a dim ond drwy ymdrechion Cwnstabl a Swyddog Carchar y llwyddwyd i'w atal.

Clywyd gan Ibrahim fod Caler wedi bod yn galw yn ei gartref am baned yn ystod y misoedd cynt. Fis cyn y llofruddiaeth roedd wedi gadael ei fag yno gan ofyn i Ibrahim edrych ar ei ôl. Pan ddangoswyd y bag yn y Cwest, adnabu Ibrahim ef.

Drwy gyfieithydd, dywedodd gwyliwr nos ar y *Fountain Abbey*, Pridu Rahn, i Caler ddychwelyd tua 2.00 o'r gloch fore dydd Sul. Wrth ei gludo o'r doc i'r llong mewn cwch, gwelodd Rahn fod Caler yn cario gramoffon a pharsel o recordiau. Cofiai am y parsel gan i Caler ei ollwng i'r dŵr ond gan lwyddo i'w achub cyn iddo suddo.

Tystiodd aelod arall o'r criw, Said Mohammed, a ddisgrifiwyd fel *donkeyman*, i Caler gnocio ar ddrws ei gaban tua 2.00 o'r gloch y bore. Roedd yn cario gramoffon a recordiau wedi eu lapio mewn côt, a honno'n wlyb.

Mynnai Caler iddo ddangos derbynneb i'r Ditectif Arolygydd Hodges yn profi iddo brynu'r gramoffon.

Gwrthododd Hodges yr honiad yn bendant. Gwadodd Caler unrhyw gysylltiad â'r llofruddiaethau. Roedd wedi bod yng nghartref y teulu yn yfed coffi, a hynny yn unig. A gofynnodd gwestiwn, 'Ydych chi wedi gweld pobl India yn lladd pobl India?'

Danfonwyd Caler i sefyll ei brawf o flaen Mr Ustus Salter ym Mrawdlys Morgannwg ddydd Iau, 12 Mawrth 1920. E. Marlay Sampson C.B. a H. Owen Beasley oedd yn erlyn gyda T.W. Longman yn amddiffyn. Yn absenoldeb cyfieithydd, gohiriwyd tan drannoeth.

Gwadodd Caler unrhyw wybodaeth am y llofruddiaethau. Dywedodd iddo fod mewn tafarndy ar y noson honno ac iddo wedyn fynd i 15 Stryd Maria i smygu *Indian hookah* cyn dychwelyd i'w long. Ef, meddai, oedd biau'r gramoffon. Roedd wedi ei chasglu o'r orsaf reilffordd, lle gadawsai hi'n gynharach. Merch mewn porthladd yn Sbaen oedd wedi gadael y gôt gafwyd o dan y gwely bocs.

Cyhuddwyd ef gan Marlay Sampson o ddiwallu ei nwyd ar gorff marw dynes anffodus. Ac er i T.W. Longman geisio'i orau i berswadio'r rheithgor na phrofwyd unrhyw fwriad i lofruddio ac na chafwyd llygad-dyst, profwyd Caler yn euog.

Fore dydd Mercher, 14 Ebrill, crogwyd ef yng Ngharchar Caerdydd gan John Ellis gyda William Willis yn ei gynorthwyo.

Evan George Carter

Roedd Evan George Carter gymaint mewn cariad â'i gar fel iddo lofruddio'i wraig a cheisio llofruddio'i fab i'w hatal rhag dod rhyngddo ef a'i eilun.

Labrwr naw ar hugain oed yng Ngwaith Asbestos Turners yn y Rhŵs oedd Carter, gŵr priod a thad i blentyn chwech oed. Roedd ef a'i wraig, Ruby May, a oedd yn gweithio yn Ysgol Uwchradd y Merched yn y Bont-faen, wedi bod yn briod er 1951. Trigai'r teulu yn Pear Tree Cottage, Penllyn ac roedd Ruby yn disgwyl ei hail blentyn.

Fore dydd Sadwrn, 2 Ionawr 1960, aeth Carter i'w waith fel arfer. Dywedodd iddo godi a gwneud paned o de i'w wraig ac yna paratôdd de a thost iddo'i hun. Cyn gadael dychwelodd i'r llofft lle bu'n rhaid iddo ddeffro'i wraig am nad oedd wedi yfed ei the. Cusanodd hi, ac yna cusanodd ei fab, Alan. Ar ofyn ei wraig, gadawodd ddrws y ffrynt heb ei gloi gan y byddai hi'n codi toc i wneud y golch. Gadawodd y tŷ tua 5.15.

Ar y ffordd i'w waith cododd ddau o'i gydweithwyr, un â'r cyfenw Brown a'r llall, Paul Galton. Yn ystod y bore gwelodd Galton ef yn tynnu bwndel o bapurau punt a phapurau chweugain o'i boced – arian, yn ôl Carter, a dalai am drwydded ei gar.

Gadawodd Carter ei waith yn ôl ei arfer am chwarter wedi hanner dydd gan yrru Brown a Galton i'r Bont-faen lle

30

galwodd am ei wraig yn yr ysgol. Canodd gorn ei gar droeon, ond doedd Ruby May ddim yno. Aeth adref a chanfu ei wraig wedi'i llofruddio yn ei gwely, ei phenglog wedi'i dorri gan dair ergyd drom. Mewn gwely yn yr un stafell roedd Alan, hwnnw hefyd wedi dioddef ymosodiad tebyg, yn hollol anymwybodol ac wedi cyfogi.

Ymddangosai fel petai'r llofrudd wedi torri i mewn i'r biwrô yn y bwthyn ac wedi dwyn arian – swm, yn ôl Carter, o £25. Gyrrodd Carter ei fab at Dr Cumming Naysmith yn y Bont-faen tua hanner milltir i ffwrdd. Roedd hyn tua 1.00 o'r gloch. Yna rhuthrwyd Alan i Ysbyty Treforys.

Galwyd ar yr heddlu ac archwiliodd Dr Naysmith gorff Mrs Carter. Dywedodd Carter nad oedd am weld corff ei wraig yr eilwaith gan yr edrychai mor ofnadwy. Ond pan wnaeth hynny ym mhresenoldeb yr heddlu, crynai fel deilen.

Yn yr archwiliad *post mortem* yn Ysbyty Pentre'r Eglwys gwelwyd fod Ruby May wedi dioddef ymosodiad ffyrnig. Gwelwyd hefyd ei bod hi bum mis yn feichiog.

Credid i'r ymosodiad ar Alan ddigwydd tua'r union adeg y gadawodd Carter am ei waith. Daethpwyd i'r casgliad hwnnw drwy gymryd i ystyriaeth y math o anaf a ddioddefodd i'w benglog a'r amser a gymerai i gyfog sychu.

Treuliodd Carter y rhan fwyaf o'r dyddiau nesaf wrth erchwyn gwely ei fab, yn cydio yn ei law ac yn ceisio cael ymateb. Ymhen tridiau, agorodd y bachgen ei lygaid a chyfarchwyd ef gan ei dad. Unig ateb bloesg y mab oedd, 'Helô, Dadi.'

Galwyd am gymorth *Scotland Yard*, a danfonwyd y Ditectif Uwch Arolygydd Jack Mannings a'r Ditectif Sarsiant Roberts i arwain yr ymchwiliad. Yr unig olion bysedd i'w canfod yn y tŷ oedd rhai'r teulu. Roedd darn o fetel yn pwyso chwe phwys ac yn fodfedd a $^3/_8$ mewn diamedr wedi ei ganfod drannoeth i'r ymosodiad mewn cae hanner milltir o'r tŷ ac ar y ffordd y teithiai Carter i'w waith. Daethpwyd i'r casgliad mai hwn oedd yr arf a ddefnyddiwyd. Canfuwyd hefyd ei fod yn ddarn o offer o'r ffatri lle gweithiai Carter. Cadarnhawyd hynny gan Galton. Ychwanegodd hwnnw fod barrau metel fel hwn yn cael eu defnyddio yn lle morthwylion i dorri sitenau asbestos. Galwai'r gweithwyr hwynt yn *knockers*. Ychydig wythnosau cyn yr ymosodiad roedd Carter wedi gofyn a gâi fynd ag un tebyg adref gydag ef gan fod ganddo jobyn mewn golwg. Roedd y barrau arferol yn rhy hir, felly cymerodd un wedi'i lifio i'r hyd addas.

Ymddangosodd Carter ar y teledu yn erfyn am gymorth i'r heddlu ddal y llofrudd. Ond wrth gael ei holi wedyn gan newyddiadurwr, dywedodd mai ef oedd yn cael ei amau fwyaf. Gwyddai hynny, meddai, am i'r heddlu ddweud hynny wrtho.

Ar 16 Ionawr, cyhuddwyd Carter o lofruddio'i wraig ac o achosi niwed difrifol i'w fab. Gwadodd y cyhuddiadau pan ymddangosodd o flaen y Barnwr Mr Ustus Barry ym Mrawdlys Morgannwg yng Nghaerdydd ddydd Llun, 21 Mawrth. Mr W.L. Mars-Jones C. F. oedd yn arwain ar ran y Goron a Mr Norman Richards C. F. yn amddiffyn.

Clywyd fod Carter mewn dyled o £60 i gwmni hurbwrcasu wedi iddo brynu car newydd. Clywyd hefyd iddo ofyn i Paul Galton sut oedd gwaredu baban yn y groth gan na fedrai ef a'i wraig fforddio plentyn arall.

Clywyd tystiolaeth am natur yr olion gwaed yn yr ystafell ac ar y gôt a wisgai Carter y bore hwnnw. Arni canfuwyd 23 o smotiau bychain o waed. Dynodai natur a phatrwm yr olion mai dyn llaw dde a achosodd y smotiau. Ni ellid yn y dyddiau hynny brofi mai gwaed Ruby May oedd ar y gôt. Roedd y tri aelod o'r teulu yn Grŵp 'A'.

Er nad oedd y bwriad yn yr achos yn glir, teimlid fod gan Carter falchder afiach yn ei gar newydd ac mai gwell fuasai ganddo waredu ei wraig a'i blentyn na cholli ei gar. Methwyd â dod o hyd i'r arian a welwyd yn ei feddiant ar fore'r llofruddiaeth. Dadleuai Carter mai ar y diwrnod cynt y gwelwyd yr arian. Gwadodd hefyd iddo ddweud wrth blismon ifanc, PC Streeter, tra oedd mewn cell yng Ngorsaf yr Heddlu, 'Rhaid i mi ddweud na wnes i fe, ond fe fedran nhw brofi i mi wneud.' Ceisiwyd gan gyfreithiwr Carter, Mr George Black, gael dileu'r dystiolaeth hon, ond dyfarnodd y Barnwr ei bod hi'n dderbyniol am i Carter ei chynnig o'i wirfodd.

Wrth grynhoi, dywedodd y Barnwr, 'Ni ellir profi unrhyw beth i sicrwydd mathemategol. Rhaid i chi wneud y gorau o'r dystiolaeth sydd o'ch blaen.'

Dim ond 35 munud gymerodd y rheithgor i benderfynu fod Carter yn euog o lofruddio'i wraig. Dydd Llun, 28 Mawrth, danfonwyd ef i garchar am oes. Gollyngwyd y cyhuddiad o ymosod ar ei fab.

Robert Coe

Caiff Robert Coe ei le mewn hanes fel un a symbylodd y diwedd i grogi cyhoeddus. Ef, yn ddeunaw mlwydd oed, oedd yr ieuengaf – a'r olaf – i'w grogi'n gyhoeddus yn Abertawe.

Trosedd Coe oedd llofruddio morthwyliwr gof yng Ngwaith Glo Cefn Pennar, Aberpennar, sef John Davies, llanc 19 oed a weithiai i Charles Jones, un o'r gofaint yno. Roedd John yn ddyn o arferion cyson, a mynychai'r Ysgol Sul a'r capel yn rheolaidd. Er ei fod mewn gwaith corfforol, roedd yn ddyn tenau a gwanllyd yr olwg. Deuai adref erbyn 6.00 bob nos ar wahân i ddydd Sadwrn, pan gyrhaeddai am 4.30. Treuliai'r nosweithiau adref yng nghwmni ei chwaer gyda'i drwyn mewn llyfr tra byddai ei dad, George, yn gweithio sifftiau nos. Roedd y fam wedi marw.

Aeth John i'w waith fel arfer ddydd Sadwrn, 1 Medi 1865. Gadawodd am 4.00 ar ôl derbyn ei gyflog wythnosol o £1 13s 0d. Fe'i gwelwyd gan David Jones a John Slater, dau chwarelwr, yn mynd i gyfeiriad Tafarn Cefn Pennar. Dywedodd ei fod yn mynd i'r coed i chwilio am gnau. Funudau'n ddiweddarach gwelwyd Robert Coe. Mewn sgwrs â Slater dywedodd fod Davies wedi mynd i'r coed. Yna clywyd Coe yn galw a llais o'r coed yn ei ateb.

Tafarnwr y Cefn Pennar ocdd Edward Williams. Dywedodd iddo weld Davies a Coe yn y dafarn rhwng 4.15

a 4.25. Cofiai i Coe setlo hen gownt o naw ceiniog am dri pheint o gwrw, a thair ceiniog am beint a gafodd ar y pryd. Talodd â hanner sofren a chafodd naw swllt o newid. Yna fe yfodd Coe a Davies allan o'r un gwydryn. Ar ôl yfed y peint aeth y ddau allan fel pe baent ar frys.

Sais 18 oed oedd Robert Coe, brodor o Swydd Derby a symudodd i'r ardal i weithio fel morthwyliwr i Henry Jones, gof yng Ngwaith Glo Cefn Pennar. Lletyai gyda John a Mary Morgan yn Upper Row, Cwm Pennar.

Lai na hanner milltir o'r dafarn roedd camfa'n arwain i Goed Cefn Pennar, Craig y Dyffryn. Ar y prynhawn dan sylw gwelodd Ann Bundy, gwraig briod a drigai gerllaw, ddau ddyn ger y sticil. Adnabu un fel Robert Coe. Roedd hwnnw'n sefyll a'r llall yn eistedd ar y gamfa.

Hwn oedd y tro olaf i unrhyw un, ar wahân i'w lofrudd, weld John Davies yn fyw. Chwiliwyd amdano, ond yn ofer. Mynnai Coe iddo ef a'i gyfaill gerdded rhan o'r ffordd gyda'i gilydd cyn ymwahanu – John tuag at Aberpennar ac yntau tua'i lety.

Parhaodd y chwilio am wythnosau, yn wir, at ddiwedd y flwyddyn. Drwgdybid Coe ac aeth un glöwr, Essex Thomas, mor bell â gofyn iddo yn ei wyneb beth oedd wedi'i wneud â'r llanc yn y coed. Glynodd Coe at yr un stori. Yn y cyfamser daeth ergyd arall i'r tad, George Davies. Nid yn unig fe gollodd ei wraig a'i fab, ond bu ei ferch farw hefyd.

Yna, ar brynhawn Dydd Calan 1866 roedd John Davies, Fferm Ffynnon-y-Gôg, Cefn Pennar, yn chwilio am rai o'i ddefaid yng Nghoed Cefn Pennar. Roedd hi tua 2.30 pan ddanfonodd ei gi i mewn i'r coed i chwilio. Dychwelodd y ci nifer o weithiau, fel petai am dynnu sylw ei feistr at rywbeth yn y coed. O'i ddilyn, canfu'r ffermwr weddillion dynol mewn man anghysbell.

Rhedodd mewn braw i Orsaf yr Heddlu yn Aberpennar.

Canfu'r Rhingyll William Hodgson fod dillad yn dal am yr esgyrn ond roedd y benglog, gyda'r gwallt wrth ei ymyl, yn rhydd ac yn gorwedd saith llathen o'r corff. Doedd dim arian yn y pocedi a gwelwyd fod y migyrnau wedi eu clymu wrth ei gilydd â darn o raff.

Yn Aberpennar cafodd Dr Brown hi'n anodd i dystio mai gweddillion John Davies oedd o'i flaen. Ond adnabu'r tad y dillad a'r esgidiau fel rhai ei fab. Hefyd roedd un dant yn eisiau o'r benglog. Tystiodd Dr Edmund Davies iddo dynnu dant John ddwy flynedd cyn iddo ddiflannu. Yn rhyfedd iawn roedd y tad wedi cadw'r dant. Ffitiai'n berffaith i'r soced wag.

Tystiodd George Russell, meddyg o Aberpennar, fod yr anafiadau i'r esgyrn yn gyson ag ymosodiad ag arf miniog. Roedd sleisen neu ddwy o esgyrn yr ên wedi eu torri ond roedd un anaf ar y benglog fel petai wedi ei achosi ag arf di-fin. Ymddangosai iddo fod wedi derbyn ergyd y tu ôl i'w ben a'i gwnaeth yn anymwybodol.

Tystiodd Robert Swan, garddwr o Gefn Pennar, iddo roi benthyg bwyell i Coe ar yr union ddydd Sadwrn yr aeth Davies ar goll. Ni chafodd y fwyell yn ôl am wythnosau er gofyn droeon amdani. Pan gafodd yr arf yn ôl roedd bylchau yn y llafn. Ac er i gryn amser fynd heibio, canfuwyd olion gwaed yn un o'r bylchau. Ond er cael cymorth fferyllydd dadansoddol, Dr Bird Herapath, nid oedd yn bosibl dweud ai gwaed dynol oedd yno.

Cafwyd tystiolaeth ddiddorol gan Samuel Evans, gof o Bontypridd a gyflogodd Coe am gyfnod yn ystod Hydref 1865. Roedd Coe wedi gofyn i Evans a oedd wedi clywed am lofruddiaeth yn Aberpennar. Doedd Evans ddim wedi clywed dim. Ond dywedodd Coe iddo glywed am ddyn a gafodd ei lofruddio yno drwy i'w ben gael ei dorri ymaith. Roedd hyn ddeufis cyn i'r corff gael ei ddarganfod.

Arestiwyd Coe a safodd ei brawf ym Mrawdlys Morgannwg o flaen yr Ustus, yr Anrhydeddus Syr Colin Blackburn K.T. ddydd Mercher, 7 Mawrth. Mr Giffard C.F. yn cael ei gyfarwyddo gan W.R. Smith, Merthyr Tudful oedd yn erlyn a Mr Bowen, o dan gyfarwyddyd Mr J.R. Tripp, Abertawe oedd yn amddiffyn. Ar ddiwedd y diwrnod cyntaf gohiriwyd yr achos a danfonwyd y rheithgor i aros dros nos mewn gwesty, rhywbeth anarferol iawn bryd hynny.

Am 1.00 o'r gloch brynhawn drannoeth, ar ôl awr o drafod, daeth y rheithgor i benderfyniad o 'euog'. Dedfrydwyd Coe i'w grogi. Daeth rhwng 12,000 a 15,000 i weld y digwyddiad y tu allan i'r carchar ddydd Iau, 12 Ebrill 1866. Cyrhaeddodd torfeydd ar drenau o Aberpennar, Merthyr Tudful ac Aberdâr ac ymdebygai i ddiwrnod ffair neu ŵyl. Y noson cynt daeth nifer o fasnachwyr i'r dref gan osod eu stondinau'n agos at y crocbren. Roedd pob plisman lleol ar ddyletswydd er mwyn cadw trefn.

Llwyddodd pedair menyw i wthio'u ffordd drwy'r dorf i fyny at y crocbren i ymosod ar y carcharor â chyllyll. Sathrwyd nifer o'r dorf gan anafu 120 ohonynt. Dyma a arweiniodd at ddiddymu crogi cyhoeddus. Yn fuan wedyn pasiwyd deddf, *The Capital Punishment Within Prisons Act 1868*, i sicrhau y câi dienyddiadau eu cynnal bellach o fewn carchardai.

Cyn ei grogi gan Calcraft, cyfaddefodd Coe y cyfan wrth Gaplan y carchar. Cyhoeddwyd y cyfaddefiad yn y *Cambrian Daily Leader*. Gwadwyd dilysrwydd y cyfaddefiad yn ddiweddarach gan y Caplan, E.G. Williams, yn y *Swansea and Glamorgan Herald*.

Gerald James Cooke

Pan aeth George Anthony Stephenson am dro gyda'i chwaer Elizabeth Ann un noson yn 1957, ychydig a wyddai mai dim ond ef fyddai'n cyrraedd adref yn fyw y noson honno

Roedd teulu'r Stephensons wedi symud i Ogledd Ddwyrain Cymru o Ganolfan yr Awyrlu yn Waddington, Swydd Lincoln, wedi i'r tad, yr Awyrwr Lefftenant George Stephenson DFC, AFC, gael swydd yng Nghanolfan yr Awyrlu ym Mhenarlâg.

Am 7.20 ar nos Fawrth, 26 Awst 1957, aeth Elizabeth, 16 oed a George, 14 oed am dro i gyfeiriad Sandycroft, rhyw filltir o'u cartref yn rhif 22 Little Roodee ger Penarlâg. Ger tafarn y *Bridge*, trodd George yn ôl gan adael ei chwaer i gerdded yn ei blaen ar hyd llwybr troed a gydredai â'r ffordd fawr. Bob ochr i'r ffordd rhedai cwteri tua chwe throedfedd o ddyfnder. Bwriadai'r ferch fynd adre'n weddol gynnar ond tua 10.00 o'r gloch dechreuodd ei rhieni bryderu ac aethant i chwilio amdani. Am hanner nos aethant at yr heddlu.

Yn gynharach y noson honno, tua 8.30, arhosodd car *Ford Anglia* rhif RTU 576 wrth ymyl y Cwnstabl Benjamin Davies, rhif 86, a oedd ar ddyletswydd ger tai'r Heddlu yn Heol Caer, Queensferry. Sylwodd fod bylb yn un o'r lampau blaen wedi diffodd. Roedd golwg ryfedd ar y gyrrwr. Crynai, ac roedd crafiadau ar ei wyneb a'i ddillad yn wlyb.

Eisteddodd y Cwnstabl yn ei ymyl a sylwodd fod côt y dyn wedi'i gorchuddio â llaid.

Yna dywedodd y dyn iddo gael ei ysgytwad ar ôl gweld corff bachgen mewn ffos i fyny'r ffordd. Cofiodd y Cwnstabl iddo weld y gyrrwr yn gynharach, tua 7.45, o flaen siop bapurau Hughes yn Heol yr Orsaf, Queensferry. Bryd hynny doedd dim golwg o grafiadau ar ei wyneb ac roedd ei ddillad yn lân.

Y gyrrwr oedd Gerald James Cooke, gŵr priod 32 oed a drigai gyda'i wraig a dau o blant yn 32b Stryd Woodlands, Shotton. Yn frodor o Swydd Henffordd, gweithiai fel gyrrwr craen yn ffatri De Havilland, Brychdyn gan weithio sifft nos o 8.00 y nos hyd 8.00 y bore. Roedd yn llwyr ymwrthodwr a heb smygu erioed.

Aeth y Cwnstabl ag ef i swyddfa'r Heddlu cyn mynd ymlaen at leoliad y corff. Drwy gyd-ddigwyddiad bu damwain gerllaw yn gynharach, a thra oedd yn gosod lampau coch i rybuddio gyrwyr, roedd y Cwnstabl Gordon Robert Knight o Saltney wedi gweld car modur *Ford* o fath *Popular* neu *Anglia* lliw llwyd yn mynd heibio. Sylwodd fod bylb mewn un lamp flaen wedi diffodd. Ychydig funudau'n ddiweddarach gwelodd yr un car yn dychwelyd o'r cyfeiriad arall.

Erbyn hyn roedd plismon arall, P.C. Jack Arthur Cox, wedi cyrraedd y gwter lle'r oedd y corff. Dywedodd Cooke wrth hwnnw iddo weld rhywun yn y gwter ac iddo, wrth geisio'i godi allan, gael ei grafu. Ni wyddai beth i'w wneud, felly arhosodd yn ei gar am ugain munud, meddai.

Yn y gwter roedd tua 13 modfedd o ddŵr. Ffurfiodd y ddau heddwas a Cooke gadwyn a llwyddwyd i lusgo'r corff allan. Adnabuwyd y 'bachgen' fel Elizabeth Ann Stephenson, a phan archwiliwyd y corff am 9.20 yr un noson, barn Dr Michael John Gavin oedd iddi farw tua dwyawr yn gynharach. Gwnaed datganiad tyst gan Cooke ac ailadroddodd sut y gwelodd gorff y 'bachgen' ar ôl sylwi ar rywbeth yn symud yn y borfa wrth iddo yrru i'w waith. Arhosodd lai nag ugain llath yn nes ymlaen a cherddodd yn ôl tua'r fan gan weld 'symudiad' a chlywed sblas yn y dŵr. O ddynesu gwelodd gorff a cheisio'i dynnu allan, ond methodd. O hynny ymlaen ni allai gofio'i symudiadau yn glir ond cofiai i'r person yn y gwter stryglan a'i grafu ar ei wyneb. Gyrrodd hyn ef i banig a dychwelodd i'w gar gan yrru i ymyl Manor Lane lle stopiodd am rhwng deg ac ugain munud i glirio'i feddwl. Yna gyrrodd i Queensferry lle gwelodd y Cwnstabl Davies.

Ond y cwestiwn oedd, os oedd Cooke wedi mynd i banig, pam na alwodd yn un o'r tai cyfagos? Doedd ond 310 llath oddi wrth ddau fwthyn, a 910 llath o dafarn y *Bridge*, ond bron ddwy filltir i Orsaf yr Heddlu, Queensferry.

Yn dilyn archwiliad *post mortem*, penderfynodd y Patholegydd o'r Swyddfa Gartref, Edward Gerald Evans, mai achos mwyaf tebygol y farwolaeth oedd tagu o effeithiau anadlu llaid.

Claddwyd gweddillion Elizabeth Ann Stephenson ym Mynwent Eglwys Penarlâg. Ymhlith y plethdorchau roedd un oddi wrth Mr a Mrs Cooke, 32b Woodlands Street, Shotton. O fewn mis i'r angladd symudodd teulu galarus y ferch i Lisburne, Gogledd Iwerddon, cartref rhieni'r fam a'r dref lle ganwyd y ferch.

Cafwyd tystiolaeth gan nifer o yrwyr ceir a moto-beics a aeth heibio i safle'r digwyddiad ar yr adeg berthnasol. Un o'r tystion mwyaf allweddol oedd gyrrwr bws *Crosville*, David Williams o 56 Stryd Clwyd, Shotton. Cofiai iddo weld car *Ford Anglia* wedi ei barcio 'yn deidi' wrth gyffordd Heol Sandycroft a Manor Lane. Pan ddychwelodd o Gaer yn ddiweddarach roedd y car wedi mynd.

Ar yr adeg dan sylw hefyd dywedodd gyrrwr moto-beic, Ray Davies, a theithiwr ar sgîl y beic, John Roy Price – y ddau o Frychdyn – iddynt weld dyn yn cyfateb i ddisgrifiad o Cooke tua 300 llath o'r gyffordd yn cerdded i gyfeiriad Sandycroft. Hefyd gwelsant ferch ifanc yn dod o'r cyfeiriad arall.

Ailgrewyd symudiadau pawb a daethpwyd i'r casgliad fod Cooke wedi gweld y ferch wrth iddo ei goddiweddyd. Parciodd ei gar a cherdded yn ôl tuag ati. Ymosododd arni yn ystod y tair munud rhwng ymddangosiad y beiciau modur a'r bws. Gwthiodd hi i'r gwter a dal ei phen o dan y dŵr.

Am 3.30 fore dydd Mawrth, 8 Hydref, cyhuddwyd Cooke o lofruddio Elizabeth Ann Stephenson. Ddydd Llun, 3 Chwefror 1958 ymddangosodd ym Mrawdlys Sir y Fflint yn yr Wyddgrug gerbron Mr Ustus Glyn Jones. Roderick Bowen C.F. oedd yn arwain dros y Goron gyda Robert David fel Cwnsler Iau. William Mars-Jones C.F. oedd yn amddiffyn gyda Phillip Owen yn Gwnsler Iau.

Amlinellodd Cooke ei gefndir milwrol adeg y Rhyfel yn Ffrainc, yr Iseldiroedd, Gwlad Belg a'r Almaen, ac wedyn ym Malaya. Wrth gael ei holi gan Roderick Bowen, glynodd wrth ei stori wreiddiol. Wrth grynhoi gofynnodd y Barnwr i'r rheithgor ystyried a oedd yn bosibl i ferch syrthio i'r gwter gyda'i phen wedi'i wasgu i'r llaid gan anadlu i mewn lawer o'r llaid hwnnw. Y peth cyntaf a wnâi rhywun a syrthiai i gwter fyddai ceisio dod allan, meddai. Hyd yn oed petai wedi methu â chodi ei phen o'r dŵr, buasai wedi llwyddo i godi ei phen o'r llaid gan anadlu i mewn ddŵr yn hytrach na llaid.

Pwysleisiwyd na chafwyd unrhyw dystiolaeth o ymosodiad rhywiol ar y ferch nac o anafiadau ar ei chorff. Ar ôl pum diwrnod, cafwyd Gerald James Cooke yn euog o lofruddio Elizabeth Ann Stephenson a dedfrydwyd ef i garchar am weddill ei oes naturiol.

Bu Cooke yn ddigon clyfar i gyfaddef yr hyn y byddai'r heddlu yn debygol o'i brofi. Felly ni fyddai tystiolaeth fforensig o unrhyw help. Ond roedd y dystiolaeth feddygol yn ddigon i brofi euogrwydd.

David Davies

Petai rhywun yn sôn am erchyllterau a ddigwyddodd ar ddydd Sadwrn, 15 Gorffennaf 1916, byddai meddyliau pawb yn troi at Ffrainc a Brwydr y Somme. Ond yng Nghymru bu digwyddiad erchyll yn llawer nes adref, a hynny ar fferm ddiarffordd yng ngogledd Sir Gaerfyrddin.

Trigai Thomas Davies a'i wraig, Jane – y ddau yn 77 mlwydd oed – yn ffermdy Blaenrhysglog, Caio ger Ffarmers gyda'u hunig blentyn, David, 33 mlwydd oed. Cymerwyd y tad yn wael a danfonodd ei wraig am y meddyg. Tua hanner dydd, cludwyd Dr David Thomas Glyn Jones, Castle Green, Llansawel gan ei yrrwr, Mr Scribbins, i Ffarmers, lle gadawyd y car. Cerddodd y meddyg weddill y ffordd.

Wrth i Dr Jones gyrraedd clos y fferm, clywodd Jane sŵn ergyd dryll. Aeth allan a gweld ei fab a'r meddyg yn ymrafael â'i gilydd. Ceisiodd wahanu'r ddau. Tra oedd hynny'n digwydd, disgynnodd y meddyg i'r llawr. Taniwyd ergyd arall ac yna dechreuodd y mab guro'r meddyg yn ddidrugaredd ar ei ben â bôn y dryll nes i'r arf chwalu. Yna cydiodd yng nghorff y meddyg a'i osod y tu mewn i glawdd cae cyn casglu'r darnau o'r dryll. Yna trodd at ei fam a dweud: 'Gwdbei, Mam, rwy'n mynd i ble bues i o'r blaen.' Ni ddeallodd ei fam na neb arall beth a olygai.

Daeth yn amlwg i Jane fod y meddyg yn farw. Aeth y wraig i'r tŷ i nôl siten a'i thaenu dros y corff cyn mynd am help at Thomas Williams, fferm Tyllwyd. Pan ddychwelodd roedd gwaeth yn ei disgwyl. Aeth i'r llofft i dorri'r newydd i'w gŵr, a bu hwnnw farw o sioc yn y fan a'r lle.

O weld ei feistr braidd yn hir yn dychwelyd, cerddodd Mr Scribbins i gyfeiriad Blaenrhysglog. Ar y ffordd cyfarfu â gof yr ardal a oedd ar ei ffordd i alw'r heddlu. Cyrhaeddodd y Rhingyll Deans o Lanymddyfri yng nghwmni'r plismyn lleol i gyd, y Cwnstabliaid Phillips, Llanymddyfri; Andrews a John Thomas, Llansawel; Reynolds, Llangadog; Jones, Ram; ac Evans, Llandeilo. Chwiliwyd am David Davies ond roedd wedi diflannu, a'i gi defaid hefyd.

Archwiliwyd corff y meddyg gan Dr Griffiths, Llanbedr Pont Steffan, a chanfu fod y benglog wedi'i niweidio'n ddifrifol gyda'r ymennydd wedi'i wthio allan a rhan o'r asgwrn yn eisiau. Gwelodd ddau anaf ergyd dryll yn y stumog a barn y meddyg oedd y gallasai unrhyw un o'r anafiadau fod wedi achosi'r farwolaeth.

Deunaw mis yn unig oedd Dr Glyn Jones wedi bod yn ardal Llansawel. Roedd yn 47 mlwydd oed, a chyn dod i'r ardal buasai'n feddyg y glowyr yn Aberaman ger Aberdâr. Gadawodd wraig weddw i alaru ar ei ôl.

Ymunodd nifer o ffermwyr lleol â'r plismyn i chwilio am David Davies, a phob un ohonynt yn arfog. Galwyd ar blismyn dros y ffin yn Sir Aberteifi a defnyddiwyd dau waetgi o Sir Frycheiniog, dan ofal y Rhingyll Evans a'r Cwnstabl Pearce o Aberhonddu. Cymerwyd gofal o'r ymgyrch gan y Dirprwy Brif Gwnstabl John Evans.

Cyn pen deuddydd dychwelodd y ci defaid i Flaenrhysglog, a thra oedd y chwilio'n parhau am David Davies agorwyd dau gwest gan y Crwner dros ddwyrain Sir Gaerfyrddin, R. Shipley Lewis, un ym Mlaenrhysglog yn ymwneud â marwolaeth Thomas Davies a'r llall yn

Llansawel ar farwolaeth Dr Glyn Jones.

Tua 6.00 o'r gloch fore dydd Mercher, 19 Gorffennaf, dychwelodd David Davies i'w gartref ond ffodd pan welodd y plismyn. Gwyddai am bob troedfedd o'r tir o gwmpas ei gartref. Ger lle o'r enw Mountain Gate canfu PC Andrews waled, trwydded yrru yn enw Dr Jones, pwrs gyda rhan o gyllell a gwellaif, yn ogystal â phapurau yn enw'r meddyg, a hynny o dan garreg fawr tua milltir o Flaenrhysglog. Tri o blismyn Sir Aberteifi a fu'n cynorthwyo oedd y Rhingyll Jones, Tregaron a'r Cwnstabliaid Richards, Llanddewi Brefi a Jones, Pontrhydfendigaid.

Ar y nos Fercher gwelwyd David Davies ger Coed Dalar, tua dwy filltir o Ogof Twm Siôn Cati. Safodd rhai plismyn yn fferm Brynglas dros nos, a thrannoeth aeth rhai ohonynt ar geffylau i barhau'r chwilio hyd at fferm y Fanog, wyth milltir i ffwrdd ac at ffiniau siroedd Caerfyrddin, Aberteifi a Brycheiniog.

Tua 2.45 brynhawn dydd Iau gwelwyd Davies gan y Cwnstabliaid John Thomas, Llanwrda a W.J. Thomas, Rhydaman yn dynesu o gyfeiriad Llanwrtyd i afon Claerwen, tua 50 milltir o'i gartref. Pan ddaeth cyfle, neidiodd y ddau arno. Tynnodd Davies gyllell gerfio o'i boced, ond llwyddwyd i'w drechu. Gosodwyd cyffion am ei arddyrnau ac fe'i arestiwyd, a hynny ger Tregan Tower, Llanwrthwl, ger Gwaith Dŵr Rhaeadr Gwy. Yr un diwrnod claddwyd Dr Glyn Jones yn Eglwys y Plwyf, Llansawel.

Ymddangosodd Davies o flaen Ynadon Llandeilo y bore wedyn. Aethpwyd ag ef ar y trên gan yr Arolygydd Peter Jones, Llandeilo a'r Cwnstabl John Thomas, Llanwrda i Garchar Caerfyrddin gyda thorf yn gwylio yng ngorsaf Llandeilo.

Yn rhyfedd iawn, cafodd chwilio tebyg ei ailadrodd fis Ionawr 1982 wedi llofruddiaeth John Williams, Brynambor gan Richard Anthony Gambrell. Ceir yr hanes hwnnw yng nghyfrol gyntaf *Troseddau Hynod.*

Yn y cwest llawn cyflwynwyd datganiad a wnaeth Davies wedi iddo gael ei arestio. Mynnai iddo fynd i gwrdd â'r doctor yn cario dryll am fod gormod o ddihirod fel ef yn mynd o gwmpas yn gwenwyno pobl. Ond mynnai i'r dryll danio'n ddamweiniol. Yna roedd wedi ceisio cyrraedd glan y môr fel y gallai ddianc mewn bad. Ar ôl ffarwelio â'i fam a mynd cryn bellter o'i gartref, sylweddolodd nad oedd ganddo arian. Aeth yn ôl i ddwyn waled Dr Jones.

Ymddangosodd ddydd Llun, 30 Hydref 1916, ym Mrawdlys Caerfyrddin o flaen Mr Ustus Lush. Yn arwain dros y Goron roedd Ivor Bowen, C.B. a Lincoln Rees. Yn amddiffyn roedd W. Llewellyn Williams C.B., A.S. a D. Rowland Thomas. Pledio'n ddieuog wnaeth Davies. Ni fu'n fwriad ganddo anafu'r meddyg. Roedd y dyn yn ddieithryn iddo.

Tystiwyd i Davies fod mewn coleg yn Aberystwyth yn astudio amaethyddiaeth cyn ymuno â *Yeomanry* Sir Benfro, ac âi yno'n rheolaidd i ymarfer. Ond yn dilyn damwain a gafodd, dywedwyd i'w gymeriad newid a thystiodd meddyg carchar Caerfyrddin fod Davies yn dioddef o iselder ysbryd a'i fod yn orffwyll weithiau. Credai fod Dr Jones wedi dod i wenwyno ei rieni, a dyna pam y saethodd ef. Ym marn meddyg y carchar, nid oedd Davies yn ei iawn bwyll pan gyflawnodd y weithred.

Yna clywyd i Davies yn gynharach, ar 11 Gorffennaf, gyfarfod â meddyg arall ar y clos, sef Dr Rowlands, Llanbedr Pont Steffan, gan anelu dryll ato a'i rybuddio i adael. Gadawodd hwnnw ar unwaith gan adrodd am y digwyddiad wrth y Cwnstabl Rees.

Yn ôl y Barnwr, roedd gan y rheithgor bedwar dewis: dychwelyd dedfryd o 'euog o lofruddiaeth', 'euog o ddynladdiad', 'euog ond yn wallgof', neu 'di-euog'. Ymhen chwarter awr dychwelwyd dedfryd o 'euog ond yn wallgof'.

Trodd y Barnwr at Davies a dweud, 'Cewch eich caethiwo fel gwallgofddyn troseddol hyd nes y gwêl Ei Fawrhydi yn dda i'ch rhyddhau.'

Richard John Dennick

Roedd y Canon Alan Jones, Rheithor Llanberis, yn rhyw fath o Samaritan trugarog a geisiai estyn llaw i helpu pobl ifainc drwy eu cadw oddi ar y strydoedd a gwneud drygioni. Am ei drafferth fe'i pwniwyd â'i Gwpan Cymun ei hun cyn iddo gael ei drywanu i farwolaeth gan fachgen pymtheg oed.

Ganwyd Richard John Dennick ar 4 Mawrth 1967 yn fab i Warantswyddog yn y Fyddin. Drygionus yn hytrach na drwg oedd y bachgen ar y dechrau, yn chwarae triwant o'r ysgol ac yn camymddwyn o gwmpas yr ardal. Er ceisio'n ofer ei berswadio i ymddwyn yn well, penderfynodd ei rieni ei ddanfon i fyw at ei fodryb a'i ewythr, Frances a Colin, yn Stryd Ceunant, Llanberis. Gwnaeth ffrindiau â bachgen o'r enw Barry Boyle, a oedd yn byw yn yr un stryd.

Roedd y Canon Alan Jones wedi bod yn Rheithor ar Eglwys y Santes Fair am flynyddoedd. Hen lanc oedd y Canon a thrigai ar ei ben ei hun yn Rheithordy'r pentref. Fe'i disgrifiwyd fel gŵr caredig iawn a wnâi ei orau i gadw'r bechgyn lleol oddi ar y strydoedd gan roi cyfleoedd iddynt alw yn ei gartref wedi oriau ysgol i chwarae snwcer a'u diddanu eu hunain.

Wedi i Richard Dennick ymsefydlu yn Llanberis aeth yn ôl i'w hen arferion o chwarae triwant, a hynny yng nghwmni Barry Boyle. Âi'r ddau o gwmpas y pentref yn gwastraffu eu hamser yn hytrach na mynd i'r ysgol. Dechreuodd Dennick ofni y câi ei roi yng ngofal yr awdurdodau lleol ac awgrymodd wrth ei gyfaill y dylent ddwyn car modur a dianc i Lundain. Ond yn gyntaf rhaid oedd cael arian. Cyfeiriodd Boyle at y Canon Alan Jones, gan awgrymu eu bod yn ymosod arno a dwyn ei arian.

Ar nos Lun, 4 Hydref 1982, tra oeddynt yn gwylio rhaglen deledu yng nghartref Boyle, penderfynodd y ddau fynd i'r Rheithordy. Wedi iddynt gael eu gwahodd i mewn, arweiniodd y Canon hwy i'r ystafell snwcer lle'r oedd bechgyn eraill yn chwarae. Ar ôl ychydig amser, aeth y bechgyn adref.

Drannoeth, cododd Dennick gan ddweud wrth ei fodryb ei fod yn mynd i'r ysgol. Ond pan gyfarfu â Barry Boyle, penderfynodd y ddau chwarae triwant unwaith eto. Treuliodd y ddau y dydd yn Llanberis gan fynd adref tua 4.30 yn y prynhawn.

Roedd gan ewythr a modryb Dennick fachgen bach teirblwydd oed, Gerrard, a chan fod y rhieni wedi trefnu i fynd allan am 7.00 o'r gloch y noson honno, addawodd Richard ofalu am yr un bach tra byddent allan. Ond wedi iddo ddod adref – o'r ysgol, fel y tybiai ei fodryb – llyncodd Dennick ei fwyd ac aeth allan i gwrdd â Barry Boyle. Aeth y ddau i'r Rheithordy tua 6.00 o'r gloch lle'r oedd pedwar arall eisoes yn chwarae snwcer.

Cyn hir gadawodd y lleill ond arhosodd Dennick a Boyle ar ôl. Yna, ar y cyfle cyntaf a gawsant, ymosododd y ddau ar y Canon. Cydiodd Boyle mewn ciw snwcer a thrawodd y Canon ar ei ben â'i holl nerth. Ond dechreuodd y Canon ymladd yn ôl. Gafaelodd yn Boyle, ond llwyddodd hwnnw i'w ryddhau ei hun a rhedeg allan. Yna dechreuodd Dennick ymosod ar y Canon. Gafaelodd mewn ciw arall a thrawodd ef ar ei ben nifer o weithiau. Ond wrth iddo ei amddiffyn ei hun, gwthiodd y Canon y bachgen yn erbyn wal.

Wrth iddo gael ei wthio'n ôl wysg ei gefn, gafaelodd Dennick mewn Cwpan Cymun mawr gan ei ddefnyddio i daro'r Canon ar ei ben ag ef nifer o weithiau nes bod gwaed yn tasgu. Roedd hwn yn gwpan trwm iawn, mor drwm nes i Dennick orfod defnyddio'i ddwy law i'w godi. Disgynnodd y Canon wrth i Dennick ei daro dro ar ôl tro â'r cwpan. Yna gafaelodd y bachgen mewn cyllell oedd yn y cyntedd a thrywanodd y Canon dair gwaith – yng nghefn ei ben, yn ei ysgwydd ac yn ei fraich – cyn ei drywanu eto, am y tro olaf, yn ei frest. Aeth y llafn i galon y Canon. Rhedodd Dennick i dŷ ei fodryb gan gyrraedd yno ychydig cyn 7.00 o'r gloch.

Heb yn wybod i Dennick, roedd Boyle wedi galw am ambiwlans. Pan gyrhaeddodd y dynion ambiwlans a'r heddlu roedd Boyle yn orchudd o waed ac yn plygu ar ei benliniau dros y Canon. Cyfaddefodd ei ran yn yr ymosodiad ac yn fuan iawn arestiwyd Dennick. Cyfaddefodd yntau ei ran.

Traddodwyd y ddau i sefyll eu prawf yn Llys y Goron gan ymddangos o flaen Mr Ustus Mars-Jones yng Nghaer. Mr John Prosser C.F. oedd yn erlyn a phlediodd Barry Boyle yn euog i gyhuddiad o ymosod ar y Canon Alan Jones gyda'r bwriad o ysbeilio. Cadwyd ef yn y ddalfa i aros canlyniad yr achos yn erbyn Dennick.

Plediodd Richard Dennick yn ddieuog. Honnodd fod y Canon ar y noson dan sylw wedi gosod ei fraich am ei ganol a rhoi ei law ar ei ben-ôl. Ychwanegodd iddo ofni y byddai'r Canon yn ymosod yn rhywiol arno. Derbyniai'r rheithgor fod gan y Canon dueddiadau gwrywgydiol, ond ni fu unrhyw gŵyn amdano ynglŷn â phobl ifainc.

Yn dilyn gwrandawiad a barodd am bythefnos, a saith

awr o ystyried gan y rheithgor, ar 30 Mawrth 1983, cafwyd Dennick yn euog o lofruddiaeth. Disgrifiwyd ef gan y Barnwr fel bachgen drwg iawn a gorchmynnodd iddo gael ei gadw'n gaeth hyd nes y gwelai Ei Mawrhydi yn dda i'w ryddhau. Ac er mai plant oedd Dennick a Boyle yng ngolwg y gyfraith, gorchmynnwyd – yn groes i'r arfer – wneud eu henwau'n gyhoeddus.

Wedi dedfrydu Dennick, galwyd ar Boyle a dedfrydwyd hwnnw i gyfnod o chwe mis mewn Sefydliad Borstal.

Ond nid dyna ddiwedd gweithgareddau Dennick. Ym mis Medi 1989, ar ôl chwe blynedd yn gaeth, dihangodd o Garchar Lewes yn Sussex. Ymhen deuddydd cyrhaeddodd Lundain a chafodd lety gan bâr ifanc yn Southwark. Ac yntau'n brin o arian, penderfynodd ymosod ar Swyddfa Bost yn Ne Llundain. Cafodd hyd i bistol gan rywun mewn tafarn a defnyddiodd hwnnw i frawychu'r Postfeistr gan ddwyn £200 o'r til. Ond cyn iddo ddianc mwy na hanner milltir o'r lle, fe'i harestiwyd gan yr heddlu.

Rhoddodd Dennick enw ffug iddynt, sef Jason Ward, ac aeth o flaen y Llysoedd o dan yr enw hwnnw. Aeth rhai wythnosau heibio cyn i'r heddlu sylweddoli, drwy gymharu olion bysedd, pwy ydoedd mewn gwirionedd. Carcharwyd ef am chwe blynedd ychwanegol am yr ymosodiad.

Yn ddiweddarach danfonwyd Richard John Dennick i Ysbyty'r Meddwl, Rampton.

Trevor John Edwards

Bu'r triongl tragwyddol yn gyfrifol am fwy o lofruddiaethau na'r un achos arall. A dyna a fu'n gyfrifol am i Elsie Cook, druan, golli ei phen yn llythrennol, bron iawn.

Cariad Elsie oedd Trevor John Edwards, glöwr un ar hugain oed a drigai gyda'i fam, Mary Whitbread a'i lystad, Thomas Whitbread, yn rhif 24 Stryd Aman, Cwmaman rhwng Aberpennar ac Aberdâr. Trigai Elsie gyda'i rhieni yn rhif 4 Stryd Gwawr gerllaw. Roedd rhieni Elsie yn berffaith fodlon ar y garwriaeth, a bu siarad am ddyweddïo ac am briodas rywbryd ym mis Gorffennaf 1928.

Yna, tua diwedd Ebrill, sylwodd ei mam fod Elsie yn dechrau magu bol. Cadarnhawyd y beichiogrwydd gan Dr Farquar. Roedd Elsie yn aelod ffyddlon yn y capel ac yn gyn-athrawes Ysgol Sul, felly roedd y teulu'n awyddus i osgoi sgandal. Cyngor mam Elsie a mam Trevor oedd i'r ddau briodi. Addawodd Trevor osod y gostegion ddydd Mawrth, 12 Mehefin.

Ond roedd Edwards mewn cariad â merch arall a doedd ganddo'r un bwriad i briodi Elsie. Y trydydd person yn y triongl oedd Annie Prothero, merch un ar bymtheg oed a oedd wedi gadael yr ardal am Swindon. Roedd hi a Trevor wedi bod yn gariadon. Pan ddychwelodd hi adref adeg y Pasg 1928, cyfaddefodd Edwards wrthi am ei berthynas ag Elsie a'i bod hi 'mewn trwbwl'. Bygythiodd ladd ei hun ond siarsiodd Annie ef i bwyllo.

Ar ddydd Mawrth, 12 Mehefin, derbyniodd Annie lythyr oddi wrth Trevor yn cadarnhau beichiogrwydd Elsie. Y dewis oedd o'i flaen, meddai, oedd cael naill ai gwraig neu goffin.

'Efallai dy fod yn credu nad wyf yn meddwl llawer amdanat,' meddai, 'ond rhaid i ti beidio â meddwl hynny, oherwydd nid wyf erioed wedi caru unrhyw un yn fwy yn y bywyd yma. Wel, bach, addewais roddi gwybod i ti am hyn cyn gwneud dim arall, ac yr wyf wedi gwneud hynny. Felly, rwy'n gofyn am ychydig o gynghorion gennyt, er, pan dderbyniaf hwy, nid wy'n medru addo y gwnaf yr hyn y bydd y cynghorion yn fy argymell i'w wneud. A wyt ti'n cofio dweud un tro wrthyf, os na ddeuai dim o hyn, y rhoeset un cyfle olaf i mi? Nawr mae'r gwaethaf wedi dod. Rwyf wedi rhoi heibio'r gobaith y byddi di rywbryd yn wraig i mi, er fy ngobaith pennaf oedd i ni'n dau briodi, a chael cartref cysurus a phlant, ond rwy'n ofni nad ewyllys Duw fydd hynny. Mae'n rhaid i mi wneud y gorau o'r gwaethaf. Rwyf wedi mynd i'r cawl ac mae'n rhaid dod mas ohono, ond mi hoffwn gael un llythyr olaf oddi wrthyt cyn i ni orffen ein carwriaeth am byth. Wel, Annie, mae'n rhaid dod â'r llythyr hwn i ben am na allaf feddwl am ddim byd arall i'w ddweud, ond fy mod yn dy garu o hyd, dy garu â'r holl gariad y medraf ei roddi. Gobeithio y gwnei ateb cyn gynted ag y medri.'

Mewn ôl-nodyn gofynnodd iddi ateb gyda throad y post.

Nos Sadwrn, 16 Mehefin, gwelwyd Trevor ac Elsie yn cerdded ar hyd Heol Jiwbilî ac aeth y ddau at dafarn Brynffynnon yn Llanwonno. Ond Trevor yn unig aeth i mewn. Talodd am ddau beint o gwrw a glased o seidir gan fynd â'r diodydd allan. Yna dychwelodd y gwydrau gwag a phrynodd fflagon o gwrw. Dywedwyd wrtho gan y dafarnwraig, Elisabeth Mary Morgan, y câi ad-daliad o ddwy geiniog ar y botel. Dywedodd yntau na fyddai'n dod â'r botel 'nôl. Geiriau awgrymog.

Y bore wedyn roedd colier, William John James, yn eistedd ar sedd ger Pont Aberaman pan welodd Edwards yn dynesu. Roedd gwaed wedi sychu ar ei wyneb a'i frest. Esboniad Edwards oedd iddo dorri'i wddf. Dywedodd hefyd rywbeth am ferch. Yna cyrhaeddodd dyn arall, Charles Edward Gubb, a hebryngodd y ddau ddyn ef i swyddfa'r heddlu. Wrth gael ei archwilio gan Dr Frederick Charles Bullen, dywedodd, 'Lleddais y ferch. *I done her in.* Ceisiais ladd fy hunan ond methais.'

Aeth yr Arolygydd Poolman a'i ddynion i fan a ddisgrifiwyd gan Trevor ar Fynydd Llanwonno lle daethant o hyd i gorff Elsie yn gorwedd ar ei chefn, yn orchudd o waed a'i holl ddillad amdani. Roedd ei phen bron iawn â'i dorri ymaith. Gwelwyd arwyddion fod rhywun arall wedi gorwedd yno. Wrth ochr y corff cafwyd rasel agored gyda gwaed ar y llafn. Gwelwyd hefyd ddarnau o fflagon, stwmps sigarennau a matsys wedi'u tanio.

Canfu Dr Christian Balfour Fotheringham Millar yn yr archwiliad *post mortem* fod gwythiennau mawr gwddf Elsie wedi'u torri yn ogystal â'r bibell wynt a'r corn gwddf. Gwaedodd i farwolaeth a chanfuwyd mai bachgen oedd y baban yn y groth, gydag Elsie wedi bod yn feichiog am ryw bedwar neu bum mis.

Yn y cwest ar 20 Mehefin yn Llys yr Heddlu, Aberdâr tystiwyd fod Trevor yn gwella. Dywedodd y Crwner, Rees Jenkins, fod hynny'n drueni gan fod amser ofnadwy o flaen y carcharor.

Gwnaeth Edwards ddatganiad o dan rybudd i'r Cwnstabl Thomas yn cyfaddef iddo daro Elsie ar ei phen â fflagon ac iddo gynllunio'r cyfan o flaen llaw. Teimlai'n flin am un peth yn unig – sef iddo fethu lladd ei hun hefyd.

'Torrais y fflagon yn deilchion ar ei phen,' meddai. 'Meddyliwch am hynny. Anodd credu y gallai ei phen hi fod mor galed, ond roedd hi'n gwisgo het ffelt.'

Yn ei boced canfuwyd nifer o luniau a chardiau pen-blwydd a Nadolig ynghyd ag amlen yn dwyn y geiriau, 'Os gwelwch yn dda, cleddwch y rhain gyda mi.' Roedd y lluniau yn ei ddangos ef ac Annie Prothero ar ymweliad ag Ynys y Barri y flwyddyn cynt. Yn ei boced hefyd roedd llythyr at ei fam yn datgan ei fwriad. Ar y llythyr roedd smotiau o waed yn gorchuddio rhan o un frawddeg. *I am . . . insane.* Awgrymai hyn mai'r gair *not* oedd o dan y gwaed.

Safodd Edwards ei brawf ym Mrawdlys Morgannwg ar 22 Tachwedd. Ceisiodd ddadlau ei fod yn wallgof a chlywyd ei fod wedi dioddef pen tost ac i'w dad fod yng Ngwallgofdy Penybont ac i'w chwaer gyflawni hunanladdiad. Flwyddyn cyn y llofruddiaeth roedd wedi derbyn ergyd ddrwg i'w ben. Ond penderfyniad y rheithgor oedd ei fod yn euog o lofruddiaeth. Ond ymbiliwyd – yn ofer – ar i'r Barnwr, yr Ustus Branson, ddangos trugaredd i un mor ifanc.

Crogwyd Edwards ar ddydd Mawrth, 11 Rhagfyr, yng Ngharchar Abertawe. Ond wrth iddo osod y llofrudd ar y drws trap, ni sylwodd y crogwr, Robert Baxter, fod troed ei gynorthwywr, Alfred Allen, hefyd ar y drws. Y canlyniad fu i Allen ddisgyn i'r twll ond ni chafodd unrhyw niwed. Ond bu marwolaeth Edwards yn un ddisyfyd.

Ymgasglodd tua 200 o bobl y tu allan i'r carchar adeg y dienyddio. Yn eu plith gwelwyd un fenyw yn sefyll ar ei phen ei hun. Gwisgai gôt lwyd a het ddu ac roedd golwg druenus ar ei hwyneb. Ei fam, hwyrach?

Ar ddiwedd y cwest ar Edwards o flaen y Dirprwy Grwner, Arthur Lloyd, trosglwyddodd holl aelodau'r rheithgor eu costau i reolwr y carchar, Mr Brown, i'w defnyddio er budd carcharorion wedi'u rhyddhau.

William Emmanuel

Dechreuodd Wil Manny ddilyn llwybrau drygioni drwy ddwyn defaid ar Fynydd Penbre ger Llanelli. Talodd am ei ddrygioni drwy gael ei adael yn ysbail i gigfrain cyn i'w gorff gael ei gladdu mewn cae ar lethrau'r mynydd lle bu'n herwr a llofrudd.

Ei enw iawn oedd William Emmanuel, mab i Thomas ac Elisabeth Emmanuel. Fe'i ganwyd mewn bwthyn ar Fynydd Penbre yn 1751, yn un o nythaid o blant. Bu farw'r fam yn ifanc, a chan fod y tad oddi cartref drwy'r dydd yn gweithio ar fferm, gadawyd y plant yng ngofal y plentyn hynaf, merch ddeuddeg oed. Dechreuodd y plant, yn arbennig Wil, redeg yn wyllt.

Tir comin oedd Mynydd Penbre, a olygai y câi'r ffermwyr lleol bori'r llethrau'n rhad ac am ddim. Câi plant y bythynnod waith i fugeilio'r anifeiliaid a'u gyrru'n ôl ac ymlaen rhwng y mynydd a'r ffermdai. Doedd hynny ddim yn ddigon i Wil. Dechreuodd ddwyn anifeiliaid a datblygodd yn lleidr pen-ffordd creulon. Ac yntau ond yn llanc, roedd pawb yn ei ofni.

Pan ddechreuodd anifeiliaid ddiflannu, daeth yn amlwg mai Wil oedd y lleidr. Er hynny, cyflogwyd ef gan ffermwr y Cwrt, Penbre, a thra bu yno ni chollwyd gymaint ag un o anifeiliaid y ffrm honno. Ond lleidr hcb ci fath ocdd Wil. Byddai'n dwyn ceiniogau prin hyd yn oed oddi ar blant.

Yn y *Miners Arms* yn Nhrimsaran un noson bu tri dyn yn trafod y dwyn a ddigwyddai yn yr ardal gan fynnu mai Wil oedd y lleidr. Pan glywodd Wil am hyn, dialodd ar y tri. Collodd un ohonynt geffyl gwerthfawr, gwnaed niwed i wartheg yr ail ac aeth ydlan y trydydd ar dân.

Roedd gan Wil gert ac asyn, ac wrth gludo creadur marw i Lanelli un bore fe wnaeth ffermwr lleol amau mai ei anifail ef oedd yn y gert. Pan geisiodd holi Wil am hynny, cafodd grasfa dda ganddo yn y fan a'r lle.

Fis Medi 1776 priododd Wil â morwyn Fferm Tynewydd yn Eglwys Penbre a ganwyd mab iddynt. Buan y trodd Wil yn gas at ei wraig gan ei churo'n rheolaidd. Cwynodd honno wrth gymdoges, Margaret David, neu Pegi Dafydd fel y câi ei hadnabod. Gwraig weddw oedd Pegi, a bygythiodd yr âi at Ynad lleol, Mr John Rees, Cilymaenllwyd i adrodd am greulondeb Wil at ei wraig. Câi Mr Rees ei ofni gan bawb, hyd yn oed Wil. Ofnai Wil y gallai bygythiadau Pegi ei ddwyn o flaen ei well ac y câi ei alltudio i Awstralia, penyd cyffredin bryd hynny. Ar 18 Medi canfuwyd corff Pegi Dafydd yn ei chartref gan John Hugh. Roedd hi'n amlwg wedi cael ei llofruddio.

Yn fuan roedd nifer o'r cymdogion wedi ymgasglu y tu allan i'r bwthyn. Penderfynwyd galw ar Mr Rees, yr Ynad Heddwch. Roedd hwnnw ar ei ffordd yn ôl o Gaerfyrddin pan welodd yr holl bobl wedi crynhoi. Aeth i'r tŷ a chanfu ddarn o ddilledyn, sef darn o gÿff côt, yn llaw Pegi. Fe'i cadwodd fel tystiolaeth. Ymhlith y dorf roedd Wil Manny, a dangosodd ei anfodlonrwydd wrth i Mr Rees gyhoeddi na châi neb fynd i mewn i'r bwthyn. Protestiodd ei fod am gael un olwg olaf ar Pegi druan a mynegodd ei ddirmyg tuag at ei llofrudd. Cynhaliwyd Cwest yn Fferm Penrhyn gerllaw.

Dewisodd Mr Rees yr wyth dyn cryfaf o blith y dorf i fynd adref gydag ef. Yno fe'u cafodd i dyngu llw a'u gwneud yn Gwnstabliaid Arbennig gyda William Jones yn gweithredu fel Rhingyll. Yna danfonodd yr wyth gyda gwarant i arestio Wil Manny. Aethant i'w gartref am 5.00 o'r gloch y bore, ond wrth i'r Rhingyll ddynesu fe'i lloriwyd gan Wil. Buan y'i trechwyd a'i osod mewn cyffion. Mynnai ei fod yn gwbl ddiniwed. Pan archwiliwyd ei gartref, canfuwyd côt a darn o'r cyff yn eisiau. Addaswyd Cilymaenllwyd fel llys barn a chadwyd Wil yn y ddalfa.

Ymhen dyddiau fe'i dygwyd o flaen yr Ynadon. Daeth y Doctor Morgan, yn dilyn archwiliad *post mortem*, i'r casgliad fod Pegi Dafydd wedi cael ei chicio'n fwystfilaidd. Roedd arwyddion tagu ar y gwddf tra oedd y benglog wedi'i thorri'n ddarnau a'r esgyrn yn ddwfn yn yr ymennydd.

Tystiodd Ann Bowen a Mary Dunn iddynt weld Wil yn cerdded tuag at fwthyn Pegi ar yr adeg dan sylw. Tystiodd un arall, Mary Rogers, iddi glywed Wil yn bygwth wrth ei wraig y byddai'n llofruddio Pegi yn y dyfodol agos.

Teiliwr oedd John Rogers, a thystiodd iddo wneud côt i Wil; dywedodd fod y darn o ddefnydd a gafwyd yn llaw Pegi yn ffitio'n berffaith i'r darn oedd yn eisiau o lawes côt y diffynnydd. Gallai fod mor bendant gan iddo redeg allan o edau tra oedd yn gorffen y gôt. Yn hytrach na theithio i Lanelli i brynu mwy o edau, defnyddiodd edafedd i'w gorffen. Roedd yr edafedd hwnnw'n dal yn y gôt.

Traddodwyd Wil i sefyll ei brawf yn y Sesiwn Fawr yng Nghaerfyrddin. Huriwyd gambo i'w gario yno, ac wrth iddo gael ei gludo ymgasglodd torf i'w hisian, ei regi a'i wawdio.

Roedd Wil yn 37 mlwydd oed pan ymddangosodd o flaen y Prif Ustus William Beard a'r Ustus Archibald McDonald. Disgrifiwyd ef fel tincer a labrwr a'i gyfeiriad fel 'Mynydd Penbrc'. Roedd y llys dan ei sang a thorfeydd hefyd y tu allan.

Dim ond am hanner awr y bu'r rheithgor yn trafod cyn dychwelyd dyfarniad o 'euog'. Dywedodd y Barnwr wrtho, gan wisgo'i gap du, i'r gyfraith ei drin gyda mwy o drugaredd nag a ddangosodd ef tuag at y dioddefydd. Câi ef gyfle i fynnu heddwch gyda'i Dduw, mwy nag a gafodd Pegi Dafydd. Cyhoeddodd ymhellach y câi corff Wil, yn dilyn ei ddienyddiad, ei dynnu i lawr a'i sibedu ar y groesffordd agosaf at gartref ei ddioddefydd.

Ar 29 Medi rhwymwyd breichiau Wil ac fe'i cludwyd mewn cert o garchar Caerfyrddin at y crocbren ym Mhensarn. Cafodd gyfle i annerch y dorf, ac fe wnaeth hynny drwy regi a melltithio Mr Rees, Cilymaenllwyd a'i ddisgynyddion. Wrth iddo wneud hynny, trodd yr ysgol a safai arni gan ei adael i hongian. Taflodd y dorf wyau clwc a cherrig at y corff ac ar ôl ychydig oriau cludwyd ei gorff i'w sibedu ar Fynydd Penbre. Ar groesffordd heolydd Trimsaran i Lanelli a Phum Hewl i Benbre diosgwyd Wil o'i ddillad a'i glymu wrth bostyn â chadwyni. Gadawyd ef yno yn ddigon hir i'r cigfrain gwblhau'r gwaith o ddifetha ei gorff. Y noson honno cynhaliodd un o ddioddefwyr Wil Manny, W.M. Evans, Spudder's Bridge, Trimsaran barti a chinio enfawr yng Ngwesty'r Llwyn Iorwg, Caerfyrddin i ddathlu'r achlysur.

Bu corff Wil yn hongian am bedwar diwrnod cyn iddo gael ei dorri i lawr a'i gladdu yn un o'r caeau gyda pholyn wedi'i wthio drwy ei gorff i ddynodi'r fan. Daeth heddwch i Fynydd Penbre, ond dywedir i ysbryd Wil gael ei weld o gwmpas y lle am flynyddoedd wedyn. Saith mis wedi crogi Wil, bu farw ei weddw, ac yna ei fab gan ddod â llinach y llofrudd dieflig i ben.

David Evans

Er bod 175 mlynedd wedi mynd heibio ers llofruddiaeth Hannah Davies ar Fynydd Pencarreg ger Llanybydder, caiff yr achos ei ystyried o hyd fel clasur ymhlith llofruddiaethau yng Nghymru. Hynny, hwyrach, oherwydd yr elfennau clasurol o ferch feichiog yn cael ei llofruddio gan ei chariad.

Morwyn yng ngwasanaeth David ac Ann Jones ar Fferm Rhiwseithbren oedd Hannah, ac roedd ei chartref yn Nhan-y-gâr, rhyw wyth milltir i ffwrdd. Yn ôl arferiad y cyfnod, âi Hannah i ymweld â'i rhieni ar nos Sadyrnau. Doedd nos Sadwrn, 13 Mehefin 1829, ddim yn eithriad. Wedi gorffen ei gwaith, dechreuodd gerdded tua'i chartref. Gwelwyd hi gan Maria Daniel yn croesi cae ger fferm Tir-y-cwm tua naw o'r gloch.

Y tro nesaf i Hannah gael ei gweld gan unrhyw un heblaw ei llofrudd, roedd hi'n farw. Canfuwyd ei chorff gan Timothy Davies ac Evan Richards y bore wedyn wrth iddynt gerdded adref o'r cwrdd tra'n croesi nant fechan Cefnbleine. Gorweddai'n rhannol yn y dŵr tua deg llath o'r llwybr.

Canfu meddyg anafiadau dychrynllyd ar gorff Hannah, ei phen bron iawn yn rhydd oddi wrth ei chorff, yr ên yn rhydd oddi wrth y pen a'i braich dde bron iawn yn rhydd o'i chorff. Roedd un ergyd wedi torri madruddyn y cefn a buasai unrhyw un o'r anafiadau a ganfuwyd wedi ei lladd.

Dangosai archollion dwfn ar ei dwylo iddi geisio'i hamddiffyn ei hun.

Wrth gynnal archwiliad *post mortem* yng nghartre'r ferch, canfu Dr J.G. Williams, a gafodd gymorth Dr J.H. Thomas o Lambed, fod y ferch ddau fis yn feichiog. Roedd gan Hannah gariad, David Evans, dyn un ar hugain oed o fferm Tir-y-cwm, tua saith milltir o'r fan lle canfuwyd y corff. Safai'r fferm ar y ffordd rhwng Rhiwseithbren a Than-y-gâr.

Torrwr coed oedd David Evans yng Ngallt Esgair Onnen Fawr. Cadwai nifer o fwyelli a bilygau yn ei gartref. Archwiliwyd yr arfau hynny ond ni welwyd unrhyw olion gwaed ar yr un ohonynt nac ar ei ddillad. Dylid cofio nad oedd adnoddau fforensig i'w cael bryd hynny. Th wir, doedd Heddlu Sir Gaerfyrddin ddim wedi'i sefydlu hyd yn oed. Cyflogid plismyn plwyf i gadw trefn, ond ni fyddai'r rheiny wedi eu hyfforddi mewn gwaith ditectif.

Holwyd David Evans gan Morgan Davies o fferm Carnmaluas a John Jones, plismon plwyf, o flaen yr Ynad Llofruddiaeth. Rhan o'r dystiolaeth yn erbyn Evans oedd fod olion esgidiau o amgylch y corff yn cyfateb yn hollol i batrwm ei esgidiau ef. Cadwyd Evans dan glo dros nos yng ngofal John Jones a dau·blismon plwyf arall, Samuel Davies a Nathan Morgan.

Wrth i Samuel Davies archwilio cartref Evans, canfu filwg wedi ei guddio o dan ddillad mewn stafell wely. Gwadodd Evans unrhyw ran yn y llofruddiaeth a rhoddodd gyfrif o'i symudiadau ar yr adeg dan sylw. Dywedodd iddo fynd allan ar y nos Sadwrn i dorri pen clawdd, ond nid oedd wedi gweld Hannah.

Cynhaliwyd Cwest i'r farwolaeth a thraddodwyd Evans i garchar y Sir yng Nghaerfyrddin. Ddydd Gwener, 11 Medi, daeth o flaen y Barnwr. Yn erlyn roedd y Dirprwywr Cyffredin, sef y Twrnai Cyffredinol heddiw.

Tystiodd Sarah Davies i'w chwaer, Hannah, gael ei chymryd yn sâl bum wythnos cyn y llofruddiaeth ac i David Evans ddangos gofal mawr amdani. Roedd wedi dweud wrth Sarah ei fod am briodi Hannah.

Ond tystiodd Catherine Thomas, ffrind i Hannah, fod gan y ferch fwy nag un cariad. Un ohonynt oedd Benni Dyffryn Owen. Roedd Evans wedi gofyn i Catherine, petai Hannah yn disgwyl plentyn, pwy gawsai'r bai? Ei hateb oedd Benni, gan nad oedd neb arall yn ei gweld. Ymateb Evans oedd bygwth y byddai'n lladd unrhyw ferch a chwaraeai'r fath dric arno ef. Aeth mor bell â dweud y byddai'n llosgi ei ddillad wedyn.

Tystiodd Rachel Lewis i Evans ddweud wrthi ar noson Ffair Newydd Caerfyrddin nad oedd am weld Hannah Davies eto. A phetai yn ei gweld, buasai hynny'n ddigon iddo roi diwedd arni yn y fan a'r lle. Tystiodd Daniel Thomas hefyd i Evans ddweud wrtho am Hannah, 'Mae'n rhaid i fi gael llonydd gan y diawl.' Eto i gyd cafwyd tystiolaeth iddo fod yn caru yn Rhiwseithbren ar ôl iddo ddweud y pethau hyn. Cafwyd llawer iawn o dystiolaeth a chroes-dystiolaeth.

Wedi awr o drafod, cafodd y rheithgor Evans yn euog, ac wrth ei ddedfrydu i'w grogi anogwyd Evans gan y Barnwr i droi at Dduw am drugaredd i'w enaid. Pan ddaeth amser y crogi yng Ngharchar Caerfyrddin ddydd Llun, 21 Medi, digwyddodd rhywbeth rhyfedd iawn yng ngolwg torf o tua deng mil o bobl. Roedd y crocbren, er y tu mewn i'r carchar, i'w weld uwchben y wal o Stryd Spilman. Cyrhaeddodd Is-Siryf y carchar am wyth o'r gloch yng nghwmni'r Rheolwr. Yng nghapel y carchar derbyniodd Evans y Sacrament Sanctaidd o ddwylo'r Caplan ym mhresenoldeb y Parchn T. Jones, D. Peters, D. Thomas a D.A. Williams. Rhwymwyd dwylo'r carcharor, ac yn dilyn gweddi fe esgynnodd Evans i'r drws trap. Yna disgynnodd i'r pydew.

Trwy ddamwain, collodd y bachyn ei afael ar y rhaff. Disgynnodd y cyfarpar a disgynnodd Evans heb unrhyw niwed. Credodd Evans iddo gael ei arbed. Ond na, byddai cynnig arall. Gwaeddodd mewn Saesneg bratiog, *No hang again. No. No. No. Gentlemen, was no hang twice for same thing.* Yna gwaeddodd yn Gymraeg. Ond yn ofer. Yr eildro, syrthiodd i'r pydew a hyrddiwyd ef i dragwyddoldeb.

Wedi i'r corff hongian am yr awr arferol, fe'i tynnwyd i lawr. Difwynwyd y corff a'i osod ar astell yng nghyntedd y gell lle'i carcharwyd. Yna agorwyd drysau'r carchar a gwahoddwyd y cyhoedd i mewn i weld y corff. Yn ôl y *Carmarthen Journal*, achubodd rhai miloedd ar y cyfle i weld corff llofrudd Hannah Davies.

David John Evans

Pymtheg oed oedd Anna Louise Humphries, merch brydferth, ddeallus a'i dyfodol yn ddisglair, wrth iddi adael Ysgol Maelor, Wrecsam i gyfarfod â'i rhieni brynhawn dydd Mawrth, 8 Tachwedd 1988. Difethwyd y dyfodol hwnnw gan fwystfil rheibus a oedd eisoes wedi treulio cyfnodau yng ngharchar am ymosod ar ferched ifainc.

Trigai Anna yn Penley, rhyw bymtheg milltir o'i hysgol ger y ffin rhwng Cymru a Lloegr. Roedd ei rhieni wedi trefnu i gwrdd â hi ar eu ffordd adre o drip siopa. Ond oherwydd tagfa drafnidiaeth fe'u daliwyd yn ôl. Bu'r munudau hynny a'u gwnaeth yn hwyr yn ddigon i ddwyn bywyd eu merch.

Cerddodd Anna gyda ffrind ysgol mor bell â Lôn Ellesmere lle trodd ei ffrind i mewn i'w chartref. Cerddodd Anna ymlaen gan ddisgwyl i'w rhieni ymddangos unrhyw funud. Dim ond un dyn a'i gwelodd yn fyw wedyn – ei llofrudd.

Chwiliwyd am Anna drwy'r nos, ac yn ystod y dyddiau canlynol ymunodd cannoedd o bobl o'r ardaloedd cyfagos, yn cynnwys milwyr o Gatrawd y Ffiwsilwyr Cymreig a'r Gurkhas ac aelodau o Dîm Achub Mynydd Ogwen, yn y chwilio. Aeth tair wythnos heibio heb unrhyw arwydd ohoni. Chwiliwyd pob adeilad yn yr ardal amaethyddol o fewn pymtheg milltir i Penley ynghyd ag erwau lawer o dir corsiog yn ardaloedd Wrecsam, yr Eglwys Wen, Croesoswallt, mynyddoedd y Berwyn a'r Cymoedd, ynghyd â llynnoedd Ellesmere ac afon Dyfrdwy.

Canfuwyd pedwar tyst a oedd wedi gweld car modur *Allegro* gwyrdd yn Lôn Ellesmere adeg y diflaniad, car oedd yn ddieithr i'r ardal. Yna derbyniodd yr heddlu alwad ffôn oddi wrth ryw Mrs Evans yn Cedar Cottage, 31 Cedar View, Knowles Lane, Bettisfield. Gofidiai am ei mab, David John Evans, a oedd wedi gadael cartref ar y noson y diflannodd Anna i brynu anrheg i'w gariad yn Amwythig. Roedd wedi dychwelyd adref, ond wedi gadael eto tua phump o'r gloch y bore wedyn. Ar ôl pacio'i fag, roedd wedi ffawdheglu tuag at yr Eglwys Wen. Roedd wedi mynd â'i basport gydag ef.

Pan gyrhaeddodd dau dditectif o flaen y tŷ gwelsant gar *Allegro* gwyrdd. Ar fonet y car roedd darnau mân o wydr ac roedd y sgrin wynt yn edrych fel un newydd. Yn stafell wely Evans canfuwyd derbynneb am sgrin wynt newydd. Canfuwyd ymhellach iddo fod mewn garej yn Overton yn cael sgrin wynt newydd yn hwyr ar brynhawn y diflaniad ac iddo ymddwyn yn rhyfedd iawn yno. Er ei bod hi'n glawio'n drwm ar y pryd, mynnai Evans sefyll y tu allan er iddo gael ei wahodd i mewn i gysgodi. Pan gafwyd hyd i'r hen sgrin wynt, canfuwyd darn bychan o ledr yn glynu wrth ran o'r gwydr.

Wrth ddilyn llwybr Evans am Amwythig, daeth yr heddlu o hyd i rai o lyfrau ysgol Anna Humphries wedi eu taflu dros bont ger Wem. Yna canfu ffermwr o Much Wenlock esgid Anna ar lain o borfa ar ochr y ffordd ddeng milltir yr ochr arall i Amwythig. Buan y gwelwyd fod y darn lledr ar y sgrin wynt yn cyfateb i esgid Anna. Cychwynnwyd chwilio am Evans yn swyddogol, a chan fod ei basport yn ei feddiant, cysylltwyd ag Interpol hefyd.

Roedd gan Evans hanes erchyll o ymosod ar ferched. Yn 1978 danfonwyd ef i garchar am bum mlynedd yn dilyn tri ymosodiad rhywiol. Rhyddhawyd ef wedi dwy flynedd. Fis Tachwedd 1980, tra oedd ar barôl, treisiodd ferch ddwy ar bymtheg oed a dedfrydwyd ef fis Ionawr 1981 i ddeng mlynedd o garchar. Ar ddiwedd yr achos hwnnw dywedodd y Barnwr fod y ferch wedi bod yn ffodus iawn i ddianc yn fyw. Dangosodd profion seiciatrig y byddai Evans yn berygl mawr i ferched ifainc. Cyn pen wyth mlynedd, ac Evans erbyn hyn yn mynnu iddo gael tröedigaeth Gristnogol, fe'i rhyddhawyd heb unrhyw amodau; roedd hynny'n golygu na chafodd yr awdurdodau na'r gwasanaethau prawf wybod dim amdano.

Yn y cyfamser, dair wythnos wedi i'r heddlu gychwyn chwilio am Evans, cafwyd gwybodaeth gan yrrwr lorri, Raymond O'Malley, iddo roi lifft i ddyn a oedd yn cyfateb i Evans, a hynny yn Ffrainc. Roedd gan y gyrrwr ei hun ferch o'r un oedran ag Anna. Arestiwyd Evans ger Lyon a chyfaddefodd iddo ladd Anna Humphries gan daflu ei chorff i afon Hafren ger Hampton Loade, ardal oedd yn gyfarwydd iddo o'r dyddiau pan oedd yn pysgota yno.

Canfuwyd corff Anna gan aelod o dîm nofwyr tanddwr yr heddlu, y Cwnstabl Colin Webster, ddydd Sul, 27 Tachwedd. Gorweddai mewn pedair troedfedd o ddŵr.

Penderfynodd y patholegydd, Dr Kenneth Scott o Ysbyty Frenhinol Wolverhampton, mai llindagu oedd achos y farwolaeth drwy i ddarn o ddillad isaf y ferch gael ei glymu mor dynn am ei gwddf fel iddo adael rhigol o hanner modfedd yn y cnawd.

Estraddodwyd Evans a chyfaddefodd iddo alw ar Anna draw i'w gar modur ar yr esgus o ofyn am rywle ar fap a ddaliai. Gafaelodd ynddi, ei chipio a'i dwyn i fan tawel a cheisio'i threisio. Ymladdodd y ferch yn ôl. Tagodd Evans hi â darn o'i dillad isaf 'fel gweithred isymwybodol'. Ni allai ei gollwng yn rhydd rhag iddi fynd at yr heddlu. Cyfaddefodd iddo gipio Anna ar siawns.

Cadarnhaodd Evans hefyd i Anna, wrth ymladd yn ei erbyn, gicio'r sgrin wynt a'i thorri. A'r rheswm dros i Evans wrthod cysgodi rhag y glaw yn y garej tra oedd y sgrin newydd yn cael ei gosod oedd fod corff Anna yng nghist ei gar ar y pryd.

Ymddangosodd David John Evans o flaen Mr Ustus Roch yn Llys y Goron, Caer fis Gorffennaf 1989 gyda Gareth Williams C.F. yn erlyn a Maurice Kay C.F. yn amddiffyn. Ni chyflwynwyd tystiolaeth ar ran Evans. Cyfaddefodd iddo ladd Anna ond nid ei llofruddio. Mynnai ei fod yn dioddef o abnormalrwydd meddyliol. Ond roedd Evans wedi'i ddamnio'i hun, meddai Gareth Williams, drwy gyfaddef na allai adael Anna'n rhydd rhag ofn iddi fynd at yr heddlu. Dangosai hynny ei fod yn gwybod yn iawn beth yr oedd yn ei wneud.

Ar ôl ystyried yr achos am ymron bum awr, dychwelodd y rheithgor ddyfarniad o 'euog'. Disgrifiwyd Evans gan y Barnwr fel seicopath peryglus a'i fod yn dioddef o gyflwr seiciatryddol nad oedd gwella arno. I gymeradwyaeth o gorff y llys, argymhellodd gadw'r llofrudd dan glo am ddeng mlynedd ar hugain.

Oddi ar i Evans gael ei garcharu, ymddangosodd hanesion amdano'n achlysurol, yn cynnwys hanes ei briodas â menyw a oedd yn cydymdeimlo ag ef, a hefyd am ei ran yn llunio teganau plant i'w gwerthu mewn siopau. Mae'n dal yng ngharchar dan Reol 43 fel troseddwr rhyw Categori 'A'. Cedwir ef yn gaeth a'i neilltuo oddi wrth garcharorion eraill a allai gymryd y gyfraith i'w dwylo eu hunain. Mae'n annhebyg y caiff fyth ei ryddhau.

Petasai Evans wedi derbyn cosb ddigonol am dreisio'r

ferch ddwy ar bymtheg oed fis Tachwedd 1980, byddai cymdeithas wedi ei gwarchod ac Anna Louise Humphries yn fyw heddiw. Ymladdodd ei rhieni'n llwyddiannus dros lunio cyfraith newydd a fyddai'n gosod amodau wrth ryddhau troseddwyr fel Evans, amodau i hysbysu'r heddlu a'r gwasanaeth prawf yn ogystal ag awdurdodau cyfreithiol eraill o'r bwriad i ryddhau troseddwyr rhyw.

Hwyrach na fu marwolaeth Anna Louise Humphries yn gwbl ofer wedi'r cyfan.

Joseph Garcia

Hyd yn oed mewn cyfnod pan oedd trais yn rhywbeth digon cyffredin, gellid disgrifio'r hyn a ddigwyddodd mewn bwthyn yn Llangiby, Sir Fynwy yn ystod haf 1878 yn gyflafan. O fewn munudau i'w gilydd lladdwyd tad, mam a thri o'u plant.

Roedd hi tua deg o'r gloch ar nos Fawrth, 16 Gorffennaf, pan gerddodd menyw leol, Ann Jones, heibio i fwthyn teulu Watkins. Sylwodd fod y drws ar agor a golau ynghynn ar y llawr isaf. Pan ddychwelodd chwarter awr yn ddiweddarach gwelodd fod y drws ynghau ac un golau'n unig i'w weld mewn stafell ar y llofft.

Gweithiai William Watkins, 37 oed, ar fferm Llandowlais, lle'r oedd gwas bach hefyd. Yn gynnar fore dydd Mercher, 17 Gorffennaf, roedd hwnnw yn y caeau lle bu ef a William yn aredig y diwrnod cynt. Gan nad oedd William wedi cyrraedd erbyn saith o'r gloch, penderfynodd y bachgen alw ym mwthyn William rhag ofn ei fod yn sâl. Wrth iddo gyrraedd gwelodd gorff ei gydweithiwr yn gorwedd ar lwybr yr ardd. Yn gorwedd wrth ei ochr roedd corff ei wraig, Elisabeth. Rhedodd y bachgen adre a'i wynt yn ei ddwrn i ddweud wrth ei fam, a dychwelodd honno gydag ef. Rhuthrodd y fam i ffermdy cyfagos, Cefallweb, i adrodd yr hyn a welsai wrth Mr Evans, gŵr y fferm, ac aeth hwnnw ar ei union i Gasnewydd i hysbysu'r heddlu.

Tra oedd hyn yn digwydd, cerddai dau ddyn arall, un o'r enw Morgan, yng nghwmni ffermwr lleol, heibio i'r bwthyn. Gwelsant hwythau y ddau gorff gan sylwi fod Elisabeth wedi dioddef anafiadau difrifol i ran uchaf ei chorff. Roedd hi wedi ei thrywanu nifer o weithiau yn ei brest a'i hysgwyddau ac roedd bysedd ei llaw dde wedi eu torri ar yr ochr fewn, arwydd iddi geisio'i hamddiffyn ei hun rhag ymosodiad â chyllell neu arf miniog arall.

Gwelsant fod ei gŵr hefyd wedi ei drywanu sawl gwaith yn ei frest, ac roedd ei wddf wedi'i dorri. Ymddangosai anaf i'w ben fel pe bai wedi cael ei daro â darn trwm o bren, a hynny wedi ei wneud yn anymwybodol. Ond byddai wedi gwaedu i farwolaeth ymhen munud neu ddwy o'r archoll a achoswyd i'w wddf.

Yna sylwodd Morgan fod mwg yn dod allan o un o ffenestri'r llofft. Aeth y ddau ddyn i mewn a gweld y dodrefn wedi eu chwalu ar hyd y llawr, pob drôr wedi eu hagor a'u taflu o gwmpas fel petai ymladdfa ffyrnig wedi digwydd. Ar y bwrdd roedd dau gwpan hanner llawn o de oer a sawl sleisen o facwn yn y badell ffrio yn barod i'w coginio.

Ond fyny yn y llofft roedd golygfa waeth o lawer. Mewn un stafell wely gwelwyd Alice, y ferch bedair oed, yn farw gydag anafiadau i'w brest a'i hysgwyddau. Mewn stafell arall gwelsant gorff Frederick, mab pump oed, o dan y gwely, ei wddf wedi'i dorri, ac yn yr un stafell roedd corff Charlotte, merch wyth oed, hithau wedi ei thrywanu nifer o weithiau yn ei chefn wrth iddi, mae'n debyg, geisio mynd at y ffenest naill ai i ddianc neu i alw am gymorth. Yn amlwg roedd y llofrudd wedi ceisio cuddio rhan o'i drosedd drwy roi dillad y ddau wely ar dân. Roedd cyrff Alice a Frederick wedi llosgi'n ddrwg.

Ar y diwrnod cynt roedd Harriet Boyer wedi gweld dyn

yn cysgu ger camfa ganllath o'r bwthyn. Credai mai trempyn ydoedd ac ni chymerodd fawr o sylw ohono. Gwelwyd yr un dyn tua wyth o'r gloch y noson honno gan Ann Watkins pan alwodd y dieithryn yn ei chartref i ofyn am ddŵr i'w yfed.

Lledaenodd y newydd am y gyflafan drwy'r sir. Cyn amser cinio clywyd y newydd gan yrrwr y cerbyd post rhwng y Fenni a Chasnewydd a chofiodd am ddieithryn a welodd tua saith o'r gloch y bore hwnnw ychydig filltiroedd y tu allan i Gasnewydd. Roedd y gŵr wedi gofyn am gael ei gludo i'r dref ond gwrthododd y gyrrwr ei gario. Roedd wedi sylwi mai tramorwr oedd y dieithryn. Yna, tua hanner dydd, clywodd yr heddlu fod dyn dieithn yn sefyll ger ffynnon yn y dref lle bu'n holi am y ffordd i orsaf drenau y *Great Western*.

Gwelwyd y dyn gan y Cwnstabl Tooze, a sylwodd fod mân anafiadau ar ei wyneb fel petai wedi bod mewn ffrwgwd. Aeth y Cwnstabl draw i'w holi, ond gan ei fod yn edrych mor wahanol i'r disgrifiadau a gafwyd ohono gan Harriet Boyer, Ann Watkins a gyrrwr y cerbyd post, fe'i gadawodd i barhau â'i daith. Ond pan glywodd ei uwch swyddogion am hyn, danfonwyd y Cwnstabl Poyall ar ei ôl i arestio'r tramorwr. Gwelodd Poyall ef yn ceisio prynu tocyn i Gaerdydd. Fe'i harestiodd a chanfod mai ei enw oedd Joseph Garcia, morwr un ar hugain oed o Sbaen.

Dyn bach, tenau oedd Garcia, o bryd tywyll gyda mwstás a gwallt tywyll. Bu'n rhaid cael cyfieithydd i'w holi. Yn ei feddiant cafwyd cyllell ynghyd â thri swllt a cheiniog a dimau mewn arian. Ymddangosai'r gyllell fel petai wedi ei golchi, ond roedd olion gwaed yn amlwg ar ei ddillad. Cariai fag yn cynnwys torth o fara, pâr o fenig, siaced menyw a rhyw fanion bethau fel brws, polish du a darnau o berfedd cloc. Gwisgai bâr ychwanegol o drowsus dros ei drowsus ei hun, a phâr o esgidiau.

Newydd gael ei ryddhau o Garchar Brynbuga oedd Garcia lle treuliasai naw mis am dorri i mewn i dŷ. Pan ryddhawyd ef, gwisgai grys glas a throwsus tywyll ond roedd yn droednoeth. Doedd ganddo ddim arian Prydeinig yn ei feddiant. Cadarnhaodd swyddog o'r carchar nad oedd yr arian, y gyllell, y bag a'r dillad na'r esgidiau ganddo pan adawodd. Cyhuddwyd Garcia o'r bum llofruddiaeth.

Roedd dwy ferch arall gan William ac Elisabeth Watkins, y ddwy wedi gadael cartref. Cadarnhaodd y rheiny mai eiddo eu rhieni oedd ym meddiant Garcia. Agorwyd y cwest yn nhafarn y *White Hart* yn Llangiby ac aeth y rheithgor i'r bwthyn i weld y cyrff cyn dedfrydu. Wrth gloi ei grynhoad, dywedodd y Crwner nad oedd llawer o amheuaeth yn ei feddwl pwy oedd yn gyfrifol am y weithred erchyll.

Claddwyd William Watkins, ei wraig a'u tri phlentyn mewn un bedd mawr ym Mynwent Eglwys Llangiby ddydd Gwener, 19 Gorffennaf, pan ddaeth cannoedd ynghyd i dalu'r gymwynas olaf.

Traddodwyd Garcia i sefyll ei brawf gan Ynadon Casnewydd a safodd gerbron y Barwn Pollock ym Mrawdlys Haf Sir Fynwy. Penodwyd y Bargyfreithiwr Ensor a'r Cyfreithiwr Moody gan Signor Usalla, Llysgennad Sbaen, i amddiffyn Garcia. Gwnaed cais dros symud yr achos o Sir Fynwy am yr ofnid na châi Garcia degwch oherwydd y teimladau cryf a ddangoswyd gan bobl leol ac o ganlyniad i ddatganiad y Crwner. Gohiriwyd yr achos felly i Frawdlys Gaeaf Caerloyw.

Ddydd Llun, 28 Hydref 1878, ymddangosodd Garcia o flaen yr Arglwydd Ustus Bromwell. Cafwyd ef yn euog o'r bum llofruddiaeth a chrogwyd ef yng Ngharchar Brynbuga ar 18 Tachwedd 1878.

James Henry Gibbs

Ceir hen ddywediad am lofruddiaethau mewn plastai yn
Lloegr sy'n mynnu bob tro mai'r bwtler oedd yn gyfrifol.
Bwtler oedd James Henry Gibbs, ac yn ei achos ef – yn
bendant   y bwtler oedd yn gyfrifol am lofruddio Susan
Ingram ger plasty yn ne Cymru.

Brodor o Surrey oedd Gibbs ac, yn 1872, ef oedd bwtler
George Croft Williams yn Neuadd Llanrhymni rhwng
Caerdydd a Chasnewydd. Wedi iddo ddod i Gymru,
dyweddïodd â merch o St Helier ar Ynys Jersey, Susan
Ingram. Roedd y ddau wedi cydweithio cyn hynny yn
Southampton.

Tra oedd yn Neuadd Llanrhymni cyfarfu Gibbs â Mary
Jones mewn ysgol gân yn Llaneirwg. Datblygodd y
berthynas, ac o ddechrau 1872 hyd y flwyddyn ganlynol bu
Gibbs yn caru â dwy fenyw heb i'r naill wybod am y llall.
Anfonai lythyrau at Susan ond ni soniai wrthi am Mary.

Fis Gorffennaf 1873 aeth Gibbs ar wyliau ar ei ben ei hun
heb sôn am ei fwriad hyd yn oed wrth ei rieni yn Richmond.
Aeth i Ynysoedd y Culfor ac ar Ynys Jersey, ar y 30ain o'r
mis priododd â Susan. Daeth ei wraig newydd yn ôl i
Gaerdydd. Mynnodd ef iddi gadw'i henw morwynol a
chafodd lety gan hen wraig yn Working Street, sef Catherine
Mahoney. Ond yn ystod ei wyliau fis Hydref y flwyddyn
honno bu Gibbs mor haerllug â mynd â Mary i gartref ei

dad a'i chyflwyno fel ei ddarpar wraig.

Gan fod Gibbs yn cysgu'r nos yn Neuadd Llanrhymni y rhan fwyaf o'r amser, ymwelai â'i wraig yn achlysurol gan barhau ei garwriaeth â Mary. Ac er mai dim ond pedair milltir oedd rhwng y ddwy ferch, llwyddodd y bwtler i gadw'i gyfrinach am ymron i flwyddyn. Ond yna digwyddodd yr anochel. Daeth y ddwy wraig i wybod am y twyll, ond gwadu'r cyfan wrth y ddwy wnaeth Gibbs.

Erbyn mis Mai 1874 cawsai Susan brawf o'r garwriaeth rhwng ei gŵr a Mary Jones, ac ar y nawfed o'r mis dychwelodd i'w lety mewn tymer. Dywedodd wrth Mrs Mahoney na wnâi aros fwy nag wythnos arall. Yn ôl y lletywraig ymwelodd Gibbs â Susan ar 11 Mai, a thrannoeth gadawodd Susan yn cario bag yn cynnwys dillad nos, ymbarél ac eiddo personol arall. Dywedodd ei bod yn mynd i gwrdd â'i gŵr gan ychwanegu os na fyddai adref erbyn 11.00 y noson honno am i'r hen wraig beidio ag aros ar ei thraed amdani. Hwyrach y gwnâi aros yn rhywle arall.

Tua 7.30 y noson honno gwelwyd Gibbs yn gadael Neuadd Llanrhymni yn cerdded yng nghwmni menyw a wisgai ddillad tebyg i ddillad ei wraig. Os mai Susan oedd hi, dyna'r tro olaf i unrhyw un ond Gibbs ei gweld yn fyw.

Gwelwyd Gibbs y tro nesaf am 1.30 y bore wedyn yn sefyll y tu allan i Neuadd Llanrhymni yn galw ar un o'r gweision i agor y drws iddo. Yn ddiweddarach fe'i gwelwyd yn gadael cyn dychwelyd am 6.00 yr un bore wedi gwisgo'n rhannol yn unig. Gwelwyd ef gan y cogydd ar ôl brecwast yn mynd â llond stên o ddŵr i mewn i'w bantri ac yna yn hongian ei drowsus ar y lein ddillad yn yr ardd.

Ddydd Mawrth, 3 Mehefin, roedd John Hughes, Fferm Llanrhymni, yn cerdded ei gaeau pan ganfu gorff Susan yn gorwedd mewn cwtcr, a rhannau o'i chorff wedi eu bwyta gan anifeiliaid. Er gwaetha'r dirywiad yn y corff gellid gweld fod toriad yn y gwddf. Wedyn dechreuodd gweision a morwynion Neuadd Llanrhymni gofio fod rhywbeth yn rhyfedd yn ymddygiad Gibbs ar y noson olaf i'r ferch gael ei gweld. Ymddangosai fel pe bai wedi gadael ei ddillad uchaf, a hefyd ei drowsus, y tu allan pan ddychwelodd am 6.00 y bore, ac yna eu golchi.

Yn ystod y tair wythnos y bu Susan ar goll, esboniad Gibbs i'w pherthnasau oedd i'w hiechyd dorri. Wrth Mrs Mahoney dywedodd i Susan fynd i Gasnewydd ac oddi yno i Reading. Casglodd ei holl eiddo o'r llety. Un tro dywedodd wrth Mrs Mahoney fod Susan yn wael iawn. Anfonodd lythyr at yr hen wraig hefyd gan ddweud iddo wneud hynny ar ran Susan. Yna aeth â Mary Jones i Gaerdydd gan hysbysu'r Cofrestrydd o'i fwriad i'w phriodi. Disgrifiodd ei hun fel *bachelor* ac ar y ffordd adre aeth â Mary i weld syrcas.

Agorwyd Cwest ar gorff Susan ddydd Gwener, 6 Mehefin, gan E.D. Bett, y Crwner. Yn dilyn gohirio'r Cwest tan 15 Mehefin, traddodwyd Gibbs i sefyll ei brawf ym Mrawdlys Sir Fynwy. Gwadu hyd y diwedd wnaeth Gibbs, ond profwyd ef yn euog a'i ddedfrydu i'w grogi. Pennwyd y dienyddiad ar gyfer dydd Mawrth, 25 Awst, ond am ryw reswm annelwig newidiwyd y dyddiad i'r diwrnod cynt. Mae'n bosibl mai ymgais i dwyllo gwŷr y wasg oedd hyn.

Tra oedd yn y carchar câi Gibbs dri phryd o fwyd y dydd oddi wrth gyn-gyflogwr, Thomas Morgan, o'r *Three Horse Shoes* ger Casnewydd. Câi pob pryd ei archwilio rhag i Gibbs a Morgan gynllwynio i gynnwys gwenwyn yn y bwyd. Galwai cyfreithwyr Gibbs, Mr Ensor, hefyd gyda llyfrau crefyddol i'r carcharor eu darllen. Un oedd *Come to Jesus* gan Newman Hall. Dau arall oedd *The Anxious Inquirer* a *The Blood of Jesus* yn ogystal â'r Testament Newydd.

Ar fore'r crogi ni chafodd newyddiadurwyr yr hawl i fod wrth y crocbren ond cawsant ganiatâd gan Reolwr y Carchar, Mr Milman, i ddefnyddio stafell yr Ynadon Ymweliadol i gael golwg ar Gibbs ar ei ffordd tua'r drws trap.

Roedd y Parch. S.C. Baker yn gyn-Gaplan y Carchar ond erbyn hyn yn Ficer yn yr eglwys leol. Ddiwrnod cyn y dienyddio pregethodd o Eseiah 5:18, 'Gwae y rhai a dynnant anwiredd â rheffynnau oferedd, a phechod megis â rhaffau mèn.' Esboniodd fod rheffynnau oferedd fel gwe pry copyn; prin y gellid ei weld gan y llygad noeth ac yr oedd yn rhywbeth y gellid ei dorri â'r cyffyrddiad lleiaf. Os na thorrid ef, gallai dyfu a chryfhau nes dod yn rhaff mèn. Aeth yn ei flaen i ddweud i'r un a gâi ei ddienyddio drannoeth yn gyntaf ddweud celwydd bychan wrth dwyllo dwy ferch. Ac yna, y drwg yn tyfu hyd nes yn y diwedd iddo gyflawni llofruddiaeth.

Y dienyddiwr oedd Marwood, ac wrth i Gibbs sefyll ar y drws trap safodd Milman o'i flaen a gofyn iddo a oedd ganddo rywbeth i'w ddweud. Ateb Gibbs oedd gwadu iddo lofruddio'i wraig a'i fod yn hapus i farw yn ddyn diniwed. Atebodd y Rheolwr, 'Mae dedfryd y byd i gyd yn dy erbyn.' Yna gwthiodd Marwood y lifer.

Gymaint oedd awydd George Croft Williams i ddileu pob arwydd o Gibbs o Neuadd Llanrhymni fel iddo, ar y dydd Sadwrn cyn y dienyddio, ddanfon eiddo'i gyn-fwtler ar y trên at dad y llofrudd.

Lester Augustus Hamilton

Yn y blynyddoedd yn dilyn y Rhyfel Mawr, roedd ardal Dociau Caerdydd yn frith o dai bwyta â'u perchnogion yn dramorwyr. Yn 1920, hyd yn oed, roedd yna dŷ bwyta Siapaneaidd yn Stryd Bute.

Un a weithiai yno oedd Doris Appleton, merch ddwy ar bymtheg oed o 57 Stryd Cwmdare, Caerdydd. Un a fynychai'r caffi oedd morwr du o Jamaica, Lester Augustus Hamilton. Cawsai waith yng Nghaerdydd fel dyn tân morwrol a chafodd lety gan Uriah Erskine a redai gartref i forwyr yn 37 Stryd Maria. Drwy gyd-ddigwyddiad, gweithiai Hamilton ym mis Chwefror 1921 ar long ager y *Fountain Abbey*, y llong y gweithiai Thomas Caler arni, un a grogwyd lai na blwyddyn yn gynharach am lofruddio Gladys ac Ayesha Ibrahim.

Daeth Doris a Hamilton, a gâi ei adnabod fel Joe Bascombe, yn ffrindiau – yn ormod o ffrindiau i deulu Doris, yn enwedig ei mam. Gwrthwynebai hi'r berthynas yn gyntaf am mai dyn du oedd Hamilton. Ar ben hynny roedd ef wyth mlynedd yn hŷn na Doris. Roedd lle i gredu fod Doris yn derbyn arian oddi wrth Hamilton ond heb ddigon o reswm i gredu ei bod hi'n butain. Roedd ei mam, Rose, eisoes wedi dod i sylw'r heddlu oherwydd ei bywyd anfoesol a'i harfer o ddiddanu dynion yn ei chartref.

Ar un adeg roedd Doris wedi dianc o'i chartref, a chredai

ei mam ei bod hi wedi mynd i fyw at Hamilton. Ond wedi ychydig wythnosau, dychwelodd. Credai Hamilton fod Doris wedi mynd i ffwrdd gyda gŵr Siapaneaidd a dechreuodd fagu digofaint. Roedd am briodi Doris, a thaerai fod ei mam wedi bodloni i'w merch wneud hynny ar ôl ei phen-blwydd yn 18 oed. Celwydd oedd hyn, yn ôl Rose.

Nos Sadwrn, 12 Chwefror 1921, bu'r fam a'r ferch yng Ngwesty'r Universal yn Stryd Bute. Yna gwahanodd y ddwy ar Bont Cathays. Aeth Doris adref at ei chwaer iau, Edna, a oedd yn 14 oed, a thua 8.30 clywodd gnoc ar y drws. Yno roedd Hamilton ynghyd â dyn du arall. Gwahoddodd Hamilton hwnnw i mewn, a hynny er mawr syndod i Doris. Mynnai Hamilton fod y gŵr Siapaneaidd yn y tŷ, a heb fwy o siarad tynnodd allan bistol a saethu Doris yn ei hwyneb. Taniodd nifer o weithiau. Er gwaethaf ei hanafiadau, llwyddodd Doris i sgrechian fwy nag unwaith. Gwaeddodd, 'Dyna ddigon, Joe.'

Rhedodd Edna allan. Yna trodd Hamilton y pistol at ei wyneb ei hun a thanio. Syrthiodd i'r llawr ond, hyd yn oed wedyn, llwyddodd i'w lusgo'i hun cyn codi ar ei draed, gosod ei siaced dros ei ben a cherdded ymaith. Dychwelodd Edna i weld ei chwaer yn gorwedd ar lawr y gegin. Aethpwyd â hi ar unwaith i Ysbyty Brenin Edward y Seithfed ond bu farw'n fuan wedyn. Gadawodd Hamilton ei gap ar lawr y pantri.

Gwelwyd Hamilton, â'i ddillad yn waed i gyd, gan Evan Tooby o rif 6 Stryd Edmund. Dywedodd wrth Tooby iddo saethu merch ac yna'i saethu ei hun, a holodd y ffordd i swyddfa'r heddlu agosaf. Ar y ffordd gwelsant blismon, ac o swyddfa'r heddlu aethpwyd â Hamilton hefyd i'r ysbyty. Roedd wedi dweud wrth yr heddlu ei fod am briodi Doris ond fod ei mam am ei throi'n butain. Er gwaetha'i anafiadau, llwyddodd i oroesi er i un ochr o'i gorff gael ei pharlysu.

Pan holwyd Hamilton gan y Ditectif Brif Arolygydd Hodges, dywedodd iddo gael ei gynhyrfu gan berthynas Doris â gŵr Siapaneaidd ac iddo saethu'r ferch ym merw'r foment cyn saethu ei hun.

Claddwyd Doris ddydd Iau, 17 Chwefror, ond wrth i'r teulu ddod allan o'r fynwent dechreuodd aelodau o'r dorf oedd wedi ymgynnull hisian a gweiddi. Teimlai llawer i'r teulu gyfrannu at y drychineb drwy eu bywyd anfoesol. Ac ar ôl i'r teulu gyrraedd adref, taflwyd cerrig at y tŷ a bu raid i'r heddlu ymyrryd.

Bu'n rhaid i Hamilton gael help i gyrraedd y doc pan ymddangosodd o flaen yr Ynad Cyflogedig, Syr Thomas Lewis. Clywyd tystiolaeth Rose Appleton am fwriad Hamilton i ladd ei merch cyn iddo gael ei draddodi i'r Frawdlys ar ddydd Llun, 26 Gorffennaf, o flaen y Barnwr Mr Ustus Salter yn Abertawe. Yn amddiffyn roedd T.W. Langman gyda Wilfred Lewis yn arwain yr erlyniad.

Cafwyd tystiolaeth Edna, a fu'n llygad-dyst i'r ddadl rhwng ei chwaer a Hamilton, am symudiadau Doris y noson honno. Dywedodd i Hamilton saethu ei chwaer wedi i Doris ei atal rhag dod â ffrind i mewn i'r tŷ.

Gwadodd Rose iddi roi caniatâd i Hamilton briodi ei merch ac ailadroddodd am ei fygythiad i ladd Doris. Cyhuddwyd hi gan Syr J. Ellis Griffiths o fod yn butain a chyfaddefodd iddi unwaith dderbyn £3 gan ddyn Siapaneaidd am gysgu gydag ef. Ond roedd wedi rhoi punt o'r arian i'w mam.

Ni wadodd Hamilton iddo saethu Doris ond mynnodd iddo wneud hynny ar eiliad o wylltineb heb fwriad i'w lladd. Mynnodd eto fod dyn Siapaneaidd yn y tŷ gyda Doris. Esboniodd y Barnwr fod y rheithgor yn rhydd i ystyried dedfryd o ddynladdiad os credent i Hamilton gael ei gythruddo'n eithafol. Ond mae'n rhaid fod y rheithgor wedi cadw mewn cof honiad Rose, sef bod Hamilton wedi bygwth lladd ei merch.

Ar ôl ystyried am lai nag awr, dychwelwyd dedfryd o 'euog' gydag argymhelliad cryf o drugaredd oherwydd amgylchiadau aflednais yr achos. Dedfrydwyd Hamilton i'w grogi gyda'r Barnwr yn dweud y byddai'n cyfeirio argymhelliad y rheithgor i'r awdurdodau perthnasol. Cyflwynwyd deiseb ar ran Hamilton wedi ei harwyddo gan dros 2,000 o bobl ond ni fu'n ddigon i'r Ysgrifennydd Cartref newid ei feddwl.

Crogwyd Hamilton ddydd Mawrth, 16 Awst, yng Ngharchar Caerdydd gan John Ellis gyda Seth Mills o'r Hengoed, Sir Forgannwg yn ei gynorthwyo. Credir mai ef oedd un o'r ychydig iawn o Gymry i ymwneud â'r fath waith erioed yn yr ugeinfed ganrif. Ni fu'n hir wrth y gwaith gan iddo roi'r gorau iddi ddwy flynedd a hanner yn ddiweddarach.

Gan fod un ochr o gorff Hamilton yn ddiffrwyth, roedd arno angen help i fynd tua'r crocbren.

Ralph Henry

Gall chwarae droi'n chwerw, yn ôl yr hen ddihareb. Ac yn sicr fe'i gwireddwyd yn hanes Elvet Jeremiah, gŵr sengl a anwyd ym Mythynnod Blaennant-hir, Tai'rgwaith ger Cwaunanogurwon ar 28 Hydrof 1914.

Gweithiai fel glöwr yng ngwaith glo Abernant, Cwmgors, Sir Forgannwg. Tua diwedd 1975, dioddefodd o emffysema a bu adref o'i waith am fisoedd. Ond derbyniai gyflog yn ystod ei salwch. Hefyd derbyniai £20 yr wythnos o fudd-dal afiechyd.

Dyna oedd sefyllfa Elvet Jeremiah yn Awst 1976 pan oedd yn 61 mlwydd oedd; gan ei fod yn ddibriod, lletyai gyda John a Thelma Thomas yn 23 Heol y Mynydd, Brynaman, ei gartref ers ymron 14 mlynedd. Y tâl wythnosol am ei lety oedd £9.

Yr oedd wedi dioddef cryn dipyn yn ystod yr Ail Ryfel Byd. Bu'n garcharor rhyfel gyda'r Siapaneaid pan gafodd ei boenydio drwy i ewinedd bysedd ei draed gael eu tynnu i ffwrdd. Roedd Jeremiah, er nad oedd yn dal iawn, yn ddyn trwm o gorffolaeth ac yn adnabyddus i bawb ym Mrynaman, ac ar wahân i fynd i Abernant i gasglu ei gyflog bob dydd Gwener, yr un fyddai patrwm ei fywyd yn feunyddiol. Codai yn y bore rhwng 9.00 a 10.00 o'r gloch, ac yna, ar ôl brecwast mawr, fe âi allan i'r pentref. Yr oedd yn yfwr gweddol drwm, a threuliai oriau canol dydd yn yfed.

Ei hoff dafarnau oedd y *Brynaman Hotel*, tafarn y *Bridgend* a Chlwb y Gweithiwyr.

Dychwelai i'w lety tua 4.30 y prynhawn, ac ar ôl pryd da o fwyd, âi i'w wely gan adael y lleti eto rhwng 6.00 a 6.30 i wneud yr un peth – ymweld â'r tafarnau gan aros yno hyd amser cau. Cyrhaeddai adref fel rheol tua 11.15.

Fel y daeth yn amlwg yn ddiweddarach, yr oedd ynddo hefyd dueddiadau gwrywgydiol. Cafwyd tystiolaeth ei fod wedi ceisio annog nifer o ddynion i ymuno ag ef mewn gweithgareddau gwrywgydiol. Hyn fu achos ei farwolaeth.

Ddydd Iau, 12 Awst 1976, cododd Jeremiah o'i wely tua 10 o'r gloch, a gwnaeth fel yr arferai wneud bob dydd. Y noson honno bu yn nhafarn y *Bridgend*; gadawodd y lle yn fuan wedi un ar ddeg o'r gloch a gwelwyd ef y tu allan, a hefyd ger y Swyddfa Bost yn ddiweddarach. Yr olaf i'w weld oedd Pamela Francis, a hynny am 11.55 yn agos i Heol y Cwar.

Fore trannoeth, roedd John Morlais Jones, 13 Heol-y-Cwar, yn cerdded ar hyd llwybr oedd yn rhedeg drwy'r cwar, ac ychydig wedi 10.00 o'r gloch gwelodd gorff yn gorwedd wrth ochr y llwybr. Credai ar y dechrau mai dyn yn cysgu ydoedd a gwaeddodd arno. Ond wrth nesáu ato, gwelodd waed ar wyneb y corff a gwaed hefyd ar y borfa yn agos i'r pen. Sylweddolodd ei fod yn edrych ar gorff marw. Roedd dwylo'r corff wedi eu clymu gyda'i gilydd â chortyn. Er bod Jones yn adnabod Jeremiah'n dda, ni allai ddweud pwy ydoedd gan fod ei wyneb yn orchudd o waed. Roedd anafiadau difrifol i'w ben. Yn amlwg, roedd wedi ei lofruddio.

Archwiliwyd y lle'n fanwl, a thua phedwar o'r gloch y prynhawn hwnnw daeth y Cwnstabl Dai Rees, Llanelli o hyd i fwyell ag olion gwaed arni 46 llath o'r corff. Gan fod Jeremiah wedi ei weld ar waelod Heol-y-Cwar yn agos iawn at ganol nos y noson cynt, aethpwyd ati i holi pob un arall a welwyd yn agos i'r fan. Un o'r rheiny oedd Ralph Henry, labrwr gydag adeiladydd yng Nghwmllynfell. Gŵr sengl 29 oed oedd Henry, yn byw gyda'i rieni yn rhif 1 Groesffordd, Brynaman. Holwyd ef yn gyntaf yn Nhafarn Tregyb, Brynaman ar y nos Wener gan y Ditectif Ringyll Gordon Bennett. Dywedodd Henry wrtho ei fod wedi gweld Elvet Jeremiah yn sefyll y tu allan i'r Swyddfa Bost pan oedd ar ei ffordd adref. Fel yn achos sawl un arall, trefnwyd i gyfweld Henry yn ffurfiol drannoeth, a daeth i Orsaf Heddlu Brynaman.

Rhoddodd Henry gyfrif am ei symudiadau y noson cynt. Dywedodd iddo gyrraedd adref tua 11.30, cafodd bryd o facwn ac ŵy ac aeth i'r gwely. Tra oedd yn rhoi cyfrif o'i symudiadau aeth plismyn i'w gartref i gadarnhau ei stori. Dywedodd ei fam iddo ddod adref fel y dywedodd ond synnwyd y plismyn pan ddywedodd i'w mab fynd allan eto. Ni feddyliodd ei fam lai na mynd i nôl sigaréts oedd ei mab. Gofynnwyd iddi a oedd bwyell ganddynt. Atebodd hithau fod un yn cael ei chadw yn y gegin gefn. Ond pan aeth hi i'w nôl, nid oedd y fwyell yno.

Roedd brawd Ralph, Paul Henry, yn filwr gyda'r Ffiwsiliwyr Cymreig, ond yn digwydd bod adref yn sâl. Holwyd ef a dywedodd, fel ei fam, i'w frawd ddod adref, cael pryd o fwyd ac yna mynd allan. Roedd ef yn ei wely pan ddaeth Ralph adref yr ail waith. Clywodd ef yn dod i mewn, ac ar ôl pum neu ddeng munud, daeth Ralph i'w stafell wely a dweud iddo ladd rhywun. Ni allai Paul gredu'r fath stori, ond ailadroddodd Ralph y geiriau gan ychwanegu ei fod wedi lladd Elvet Jeremiah. Roedd Ralph, ar ôl dod adref, wedi rhoi ei ddillad yn y sinc i'w golchi.

Er iddo ailadrodd yr hanes, ni fynnai Paul ei gredu, a bore trannoeth am 7.15, galwodd ei fam ar Ralph ac aeth at ei waith gan ymddangos fel pe na bai dim wedi digwydd. Ni soniodd yr un gair ei fod yn mynd at yr Heddlu.

Holwyd Ralph Henry yr ail waith, y tro hwn gan Pat Molloy, Pennaeth CID Heddlu Dyfed-Powys, ac ni fu yn hir iawn cyn cyfaddef. Dywedodd fod Elvet Jeremiah yn ei boeni byth a hefyd, yn gofyn iddo gyflawni gweithgareddau gwrywgydiol gydag ef, ond er iddo wrthod daliai Jeremiah ymlaen i'w boeni. Y noson honno, bu yn Nhafarn Tregyb i ddechrau am 6.00 a gadawodd tua 8.30. Yna aeth i dafarn *Bridgend*. Ar ôl dod allan, gwelodd Jeremiah ar ôl i hwnnw hefyd ddod allan o'r dafarn. Gofynnodd Jeremiah iddo fynd gydag ef i'r cwar i gyflawni gweithgareddau gwrywgydiol ac i 'chwarae gêm' gydag ef.

Ac yntau wedi cael hen ddigon ar ymddygiad Jeremiah – roedd gwrywgydiaeth yn beth ffiaidd ganddo – penderfynodd gwrdd ag ef yn y cwar yn ddiweddarach er mwyn dysgu gwers iddo. Aeth adref, ac ar ôl swper aeth i nôl y fwyell a hefyd aeth â chortyn neilon gydag ef i'r cwar. Ni wyddai beth oedd y 'gêm', ond rhan ohoni fyddai clymu dwylo Jeremiah. Bwriad Ralph Henry oedd dysgu gwers iddo drwy ei glymu, ac i godi braw arno trwy ei fygwth â'r fwyell a'i adael ynghlwm yn y cwar dros nos. Daliai Jeremiah i ofyn iddo wneud pethau brwnt. Gorweddodd Jeremiah ar y llawr gan ddal i'w annog. Clymodd Ralph ddwylo Jeremiah, ond gwnaeth hyn iddo deimlo'n gyfoglyd, ac yna trawodd ef â'r fwyell nifer o weithiau. Nid oedd wedi bwriadu ei ladd, dim ond ei ddychryn. Yr oedd wedi yfed yn drwm y noson honno – o leiaf ddeg peint – ac yr oedd yn feddw, meddai.

Cyhuddwyd Ralph Henry o'r llofruddiaeth; yn Llys y Goron yn Abertawe ar 6 Rhagfyr 1976, profwyd ef yn euog a charcharwyd ef am oes.

Griffith Jenkins

Griffith Jenkins oedd mab y *Cross Hands Hotel*, sir Gaerfyrddin, tafarn a etifeddodd ar ôl ei rieni. Roedd Griff, fel yr adwaenid ef yn lleol, hefyd yn berchen ar fferm Pantglas yn yr un ardal lle cadwal wartheg gan werthu llaeth o'r gwesty.

Roedd dau arall yn byw yn y gwesty fis Medi 1920, sef Margaretta (Getta) Griffiths, morwyn 19 oed, a lletywr 35 oed o'r enw Jac Jones. Gŵr sengl oedd Jac, labrwr yng Nglofa Crosshands a gwas achlysurol ym Mhantglas. Roedd Jac, yn ôl yr hanes, yn dipyn o Sioni Bob Ochr a achosai drafferthion rhwng pobl â'i gilydd, yn cynnwys Griff a'i wraig Mary, y ddau yn 27 oed. Ni anwyd iddynt blant, ac roedd yna ddigon a allai dystio iddynt weld Griff yn aml yn curo'i wraig.

Ddydd Llun, 30 Awst 1920, roedd Griff mewn tymer ddrwg am nad oedd ei wraig wedi defnyddio'r peiriant a wahanai'r hufen oddi wrth y llaeth. Roedd hyn tua 5.30 yn y prynhawn, a daeth yn amlwg iddo ei cham-drin. Yn ddiweddarach, daeth dau gwsmer i'r dafarn. Roedd Mary yn y llofft ac yn gwrthod dod i'r bar. Gwelwyd Griff yn rhedeg i fyny'r grisiau, a phan ddaeth yn ôl, crynai mewn tymer wyllt.

Tua 9.45, ar ôl gweithio yn y bar, aeth y forwyn i'r llofft lle gwelodd ei meistres yn gorwedd ar y gwely yn ei dillad.

Sylwodd fod ei llaw dde yn ei phoced a'r llaw honno'n symud. Meddyliodd fod Mary yn cysgu, ond yn ddiweddarach, wedi cau'r dafarn, aeth Getta eto i'w hystafell a gwelodd fod Mary yno o hyd ac wedi bod yn chwydu. Galwodd ar Jac Jones. Methwyd â'i dihuno er ei bod hi'n anadlu'n drwm ac yn ceisio siarad. Deallodd y ddau ei bod hi'n ceisio ynganu'r enw 'Griff'.

Arhosodd y ddau gyda Mary, ond rywbryd wedi 11.00 aeth Getta i stafell wag i gysgu ac arhosodd Jac Jones gyda Mary. Ymhen tipyn, aeth Jac lawr y grisiau i ddweud wrth Griff am gyflwr Mary, ond roedd hwnnw'n cysgu ar soffa yn y gegin a methodd Jac â'i ddihuno. Aeth Jac yn ôl i eistedd ar waelod gwely Mary a syrthiodd i gysgu. Am 2.45, dihunwyd ef gan Griff Jenkins a dywedodd hwnnw wrtho fod Mary wedi marw. Yna, gwelwyd fod dillad Mary yn anhrefnus, roedd ei sgert wedi ei thynnu i fyny dros ei chanol ac roedd Getta'r forwyn yn sicr nad oedd ei dillad yn y cyflwr hwnnw pan aeth hi i'r gwely. Gwelwyd hefyd fod cap Jac Jones ar y gobennydd a'i esgidiau wrth ochr y gwely.

Anfonwyd am James Rees, Fferyllydd Crosshands, a thynnodd Griff sylw Rees at y cap a'r sgidiau. Ni ddywedodd air, edrychodd i fyw llygad y fferyllydd, yna trodd ei lygaid at y cap ar y gobennydd ac yna'n ôl at y fferyllydd. Roedd y neges y ceisiai ei chyfleu yn amlwg.

Dangosodd archwiliad post mortem mai gwasgfa ar y gwddf oedd wedi achosi tagfa, ac yr oedd tri chylch yn y corn gwddf wedi torri. O ganlyniad, roedd gwythiennau bychain yr ymennydd wedi rhwygo. Nid oedd unrhyw arwydd fod Mary wedi ei threisio, ond gwelwyd clais ar y stumog – arwydd, yn ôl y meddyg, o osod pen-glin arni wrth wasgu ei gwddf, a hithau, fwy na thebyg, yn gorwedd ar lawr caled ar y pryd.

Pan gafodd Griff Jenkins ei gyfweld, honnodd fod rhywun wedi ymyrryd â dillad ei wraig a cheisiodd amlygu'r ffaith fod Jac Jones yn cysgu wrth droed y gwely pan fu ei wraig farw. Hefyd, honnodd fod £45 mewn arian wedi ei ddwyn o ystafell ar y llofft. Arestiwyd Griff Jenkins a Jac Jones a'u cyhuddo o lofruddio Mary, a bu raid i'r Uwch Arolygydd Samuel Jones, Llanelli, egluro yn Gymraeg i Jac gan na allai ddeall y cyhuddiad yn Saesneg.

Mewn cwest a gynhaliwyd yn Neuadd Gyhoeddus Crosshands, cyfeiriodd y Crwner at sefyllfa hynod o anghyffredin: Jac Jones yn yr un ystafell, yn cysgu ar waelod y gwely, y tebygolrwydd fod Mary wedi marw tra oedd ef yn yr ystafell, ei gap ar y gobennydd a'i esgidiau wrth odre y gwely. Ond, meddai, nid oedd unrhyw awgrym fod yna gweryl wedi bod rhyngddynt. A'r peth mwyaf o'i blaid ef oedd fod tystiolaeth Getta Griffiths yn cadarnhau popeth a ddywedasai Jac Jones. Wedi ystyried yr holl dystiolaeth, dyfarniad y rheithgor oedd dynladdiad yn erbyn Griffith Jenkins yn unig. Rhyddhawyd Jac Jones yn fuan wedi hynny.

Ymddangosodd Jenkins o flaen yr Ustus Shearman ym Mrawdlys Caerfyrddin ddydd Mawrth, 9 Tachwedd 1920. Daeth y carcharor i'r llys 'yn ei fwrning' mewn siwt ddu a thei du. Honnodd Syr Edward Marlay Samson, ar ran yr erlyniad, fod Jenkins yn gwybod ei fod wedi lladd ei wraig. Dyna pam iddo aros i lawr y grisiau, er mwyn cael cyfle i gynllwynio. Penderfynodd roi'r bai ar y lletywr, ac aeth i mofyn un o gapiau gwaith Jac Jones a'i osod ar y gobennydd. Aeth â phâr o esgidiau Jac o waelod y staer a'u gosod wrth y gwely, yna cododd sgert ei wraig i fyny dros hanner ei brest a chreu golygfa o drais. Ond rhag ofn i'r cynllwyn yn erbyn Jac Jones fethu, lluniodd stori arall gan awgrymu fod dieithryn wedi dod i mewn i'r dafarn, wedi ymosod ar ei wraig a dwyn £45 o arian, naill ai o boced Mary neu o'r ystafell eistedd ar y llofft. Byddai'r heddlu'n sicr o gredu'r naill stori neu'r llall.

Cafodd Jac Jones ei groesholi'n llym iawn. Cyhuddwyd ef o dreisio a lladd Mary Jenkins. Cyflwynodd ei dystiolaeth yn Gymraeg. Dywedodd fod drws yr ystafell wely ar agor yn ystod yr amser y bu ef yno ac na wnaeth Griff Jenkins unrhyw wrthwynebiad pan welodd Jac yn yr ystafell. Erbyn iddo orffen yn y bocs tystio, gwelodd y rheithgor fod gwirionedd yn nhystiolaeth Jac. Yn wir, llwyddodd i brofi nad y cap gafwyd ar y gobennydd oedd y cap a wisgai y diwrnod hwnnw, ond cap gwahanol. Felly sut aeth y cap hwnnw ar y gobennydd?

Daeth yr arbenigwr, Dr J.H. Spilbury o Ysbyty Sant Bartholomew, i dystio. Ei farn ef oedd i'r ymosodiad ar Mary ddigwydd tua saith o'r gloch ar y nos Lun, ac esboniodd y gallasai'r farwolaeth fod wedi digwydd oriau ar ôl yr ymosodiad. Nid oedd yn anarferol i rywun ddioddef anafiadau difrifol, ac yna adfer ychydig cyn marw. Y rheswm i Getta Griffiths a Jac Jones fethu â'i dihuno oedd am ei bod wedi ei llindagu ers cryn amser, er nad oedd wedi marw. Pe byddai'r llindagu wedi para am bedair neu bum munud, byddai'r farwolaeth wedi digwydd ar unwaith. Yna byddai ei hwyneb yn las yn y bore pan gafwyd hi, ei llygaid wedi chwyddo a channwyll y ddau lygad wedi lledu, yn ogystal ag olion bysedd ar groen y gwddf. Gallasai'r ymosodiad fod wedi digwydd ar y gwely, meddai, a byddai'r llindagu wedi atal Mary rhag gweiddi a sgrechian. Ond efallai hefyd i Mary fod ar y llawr pan roddwyd penglin yr ymosodwr arni, a byddai'n bosibl, yn ôl Dr Spilsbury, iddi adfer digon i godi a'i llusgo ei hun ar y gwely.

Er i Griffith Jenkins dystio ar lw nad ef oedd yn gyfrifol

am farwolaeth ei wraig, hanner awr yn unig a gymerodd y rheithgor cyn dychwelyd dyfarniad o 'euog o ddynladdiad'. Danfonwyd Jenkins i garchar am gyfnod o bum mlynedd o benydwasanaeth.

Daniel Jones

Tyddyn o saith neu wyth cae oedd Gelliddu Fach, Llanddarog, Sir Gaerfyrddin, a'r deiliaid, Daniel a Hannah Jones, yn cadw chwe buwch. Roedd ganddynt bump o blant, pedwar ohonynt yn byw gartref gyda'u rhieni.

Gweithiai Daniel hefyd fel haliwr glo, a bore dydd Sadwrn, 21 Hydref 1854, aeth â llwyth o lo i Gaerfyrddin gan dreulio'r dydd yn mynychu'r tafarndai. Ar ei ffordd adref galwodd yn Holywell, Llanddarog, cartref Elisabeth Griffiths a'i hewythr Richard. Nid oedd Richard yno. Synnodd Elisabeth o'i glywed yn gofyn iddi wthio cyllell i'w gorff. Pan ofynnodd Elisabeth iddo am esboniad, cwynodd am ymddygiad ei wraig, a'i bod yn torri'i galon. Wrth adael dywedodd wrthi am ddweud wrth ei hewythr ei fod yn cofio ato gan ychwanegu: 'Wela i mohono ar ôl heno. Mi fydda i wedi lladd fy hunan neu'r hen fenyw cyn y bore.'

Ychydig wedi hanner nos y noson honno clywodd Hannah sŵn ceffyl yn agosáu at y tŷ. Roedd dau o'r plant, Thomas a James, wedi mynd i'w gwelyau ond roedd Anna a John yn dal ar eu traed. Ar unwaith cyhuddodd Daniel ei wraig o gael cyfathrach gyda rhywun o'r enw Will Saunders a'i bod wedi diosg ei dillad iddo. Dywedodd iddo glywed digon amdani i'w lladd a dechreuodd ei tharo â choes chwip. Taflodd hi yn erbyn wal y gegin ac yn erbyn cwpwrdd cyn iddo'i tharo i'r llawr a'i chicio yn ei brest ac yn ei bol.

Tra oedd Hannah ar lawr, cydiodd ei gŵr yn y badell ludw yn y grât o dan y tân a thaflu'r lludw poeth dros ei hwyneb. Trawodd hi hefyd â stôl fach bedair coes.

Rhedodd tri o'r plant yn eu hofn i chwilio am help, yn gyntaf i Lwynberllan. Ond wedi methu cael help yno, aethant adref. Wrth weld eu tad yn dal i ymosod ar eu mam a hithau'n ymbil am drugaredd, rhedodd y tri i Gelliddubit at frawd eu tad, a dilynwyd hwy yno gan John, y brawd arall. Yn fuan iawn wedyn dilynodd eu tad hwy yno a dywedodd wrth ei frawd fod ei wraig wedi cael ffit, a'i fod yntau wedi 'towlu ergyd anlwcus ati'. Ond newidiodd ei stori'n ddiweddarach. Dywedodd fod ei wraig wedi cael cic gan y ceffyl a'i bod wedi marw o ganlyniad. Aeth y tad a'r plant yn ôl i'w cartref, ac yna gwelodd y plant ef yn codi'r fam a'i rhoi i orwedd ar wely yn y parlwr. Clywsant hi'n ochneidio a chlywsant hefyd eu tad yn dweud: 'Mae hi'n ddigon byw heno 'to.'

Tua thri o'r gloch y bore aeth Daniel Jones i Gelliddugaled. Yno yr oedd David Rees, un o Blismyn y Plwyf, yn byw. Y geiriau cyntaf i Daniel Jones eu hynganu oedd, 'Hwpes i'r wraig yn erbyn y tân. Wel, a gweud y gwir, roies i ergyd iddi.' Yn ddiweddarach aeth David Rees yng nghwmni ei wraig i gartref Daniel Jones lle gwelsant ef mewn gwely yn y gegin. Yna aethant i'r parlwr a gweld fod Hannah yn farw ar y gwely. Pan glywodd hynny, gofynnodd Daniel am gyllell i dorri ei wddf ei hun, ond ataliodd David Rees ef gan fygwth ei glymu â rhaff os dywedai hynny eto. 'O Dduw, beth wna i?' oedd geiriau nesaf Daniel Jones, ond dywedodd hefyd mai cic gan geffyl gafodd ei wraig wrth iddi dynnu'r harnais yn rhydd. Tynnodd hanner coron allan o ddrôr cwpwrdd a'i gynnig i Mrs Rees am droi'r corff heibio. Gwrthododd Mrs Rees, ac yna cynigiodd Daniel sofren iddi. Yna, aeth ati ei hunan i olchi corff ei wraig gan ddweud ei fod am ei chladdu'n barchus y dydd Mawrth canlynol. Mynnai hefyd gysgu wrth ochr ei wraig yn y gwely y noson honno.

Roedd y plant i gyd mewn cyflwr truenus, yn crio'n ddi-baid. Yna rhoddodd dair sofren a hanner i'w fab, James, gan ddweud wrtho am eu cadw rhag ofn y byddai ef 'yn mynd i ffwrdd'. Wythnos yn ddiweddarach, aethpwyd â'r plant i Wyrcws Caerfyrddin.

Mewn archwiliad *post mortem* ar y corff gan Dr John Lewis Williams ym mhresenoldeb Dr Howell Evans ddydd Llun, 23 Hydref, canfuwyd anafiadau difrifol i wyneb a phenglog Hannah Jones, ei breichiau, ei choesau a'i hwyneb yn gleisiau i gyd gyda chlwyfau ar ei thalcen a'i thrwyn ac yn ei cheg. Roedd pedwar dant yn yr ên uchaf wedi torri a'r wyneb wedi ei amharu'n ofnadwy. Roedd gwallt y pen wedi llosgi a pheth ohono wedi ei dynnu o'r gwraidd, ac roedd llosgiadau ar ei gwddf. Roedd gwaed wedi llifo i'r ymennydd hefyd.

Achos y farwolaeth ym marn y ddau feddyg oedd 'nifer fawr o anafiadau difrifol', rhai ohonynt wedi eu hachosi gan arf di-fin, fel *plough board*. Archwiliwyd Daniel Jones gan Thomas Evans, Penallt, Llanarthne, un o Blismyn y Plwyf, a gwelodd fod gwaed ar ei fritsh, ar ei legins ac ar ei esgidiau. Arestiwyd ef a'i draddodi i sefyll ei brawf ym Mrawdlys Caerfyrddin. Roedd tystiolaeth Elisabeth Griffiths yn dangos ei fod wedi bwriadu lladd ei wraig, a daeth Mary Davies, Gelliddufawr, Llanddarog i roi tystiolaeth debyg. Ddechrau mis Medi 1854 roedd hi yn Ffair Dryslwyn, a gwelodd Daniel Jones yno. Dywedodd wrthi ei fod yn chwilio am ei wraig, a'i eiriau nesaf oedd, 'Mi ladda i hi pan wela i hi. Mae hen wedjen 'da fi yn Sir Aberteifi. Gwidw yw hi, ac mi alla i chael hi ar unwaith.'

Ymddangosodd Daniel Jones ym Mrawdlys Caerfyrddin ddydd Llun, 12 Mawrth 1855. Yn erlyn roedd John Evans C.F., J.W. Bowen a John Thirlwall, o dan gyfarwyddyd Thomas Parry, Cyfreithiwr, Caerfyrddin. Mr Giffard a Mr Ferry o dan gyfarwyddyd T. Williams, Cyfreithiwr, Caerfyrddin oedd yn cynrychioli'r diffynnydd. Y llygad-dystion i'r ymosodiad oedd y plant. Pan aeth Thomas, y bachgen 12 oed, i'r bocs tystio dywedodd, 'Rwyf wedi cael fy nysgu i ddweud fy mhader. Rhywbeth drygionus yw dweud celwydd. Os dywedaf fi gelwydd, byddaf yn mynd i uffern.' Roedd y plant wedi drysu'n lân ac yn cael eu croesholi'n greulon. Nid rhyfedd iddynt roi tystiolaeth ychydig yn gymysglyd ac, wrth gwrs, gwnaeth y Cwnsler dros y diffynnydd yn fawr o hyn.

Yn ei araith olaf i'r rheithgor, a barodd am ddwy awr a phum munud, dywedodd Giffard fod ganddynt gyfrifoldeb brawychus. Nid oedd yn gofyn iddynt ryddhau'r diffynnydd, ond i roi cyfle iddo gael ei anfon mewn edifeirwch yn alltud, a'i gydwybod i'w bigo wrth feddwl am y weithred a wahanodd ef oddi wrth ei blant a'u hamddifadu o fam. Aeth yn ei flaen i ddweud ei fod yn sicr na fyddai'r rheithwyr am ddiffodd llusern bywyd, ond ei chadw i losgi hyd nes y teimlai'r carcharor truenus ei fod wedi cymodi â'i Feistr. 'Cofiwch eich bod yn ddynol,' meddai, 'ac efallai y daw temtasiwn rywbryd ar eich llwybr, yna ar awr wan, mewn gwendid, cofiwch beth yr ydych wedi ei wneud, a phan ddaw'r awr i chwi orwedd ar lawr o flaen y Duw Cyfiawn, a feiddiwch chi ofyn am drugaredd eich hunain? A feiddiwch chi?'

Parhaodd yr achos am ddau ddiwrnod, a bu raid i'r rheithwyr aros y nos yng Ngwesty Pen y Baedd. Ni fu'r rheithgor yn hir cyn dychwelyd dyfarniad o ddynladdiad.

Dedfryd y Llys oedd i Daniel Jones, 37 oed, gael ei alltudio i wlad bell am weddill ei oes.

Frank Booth Joynson

Mae'n rhaid mai Frank Booth Joynson oedd y llythyrwr mwyaf cynhyrchiol yn holl hanes llofruddiaeth. Wedi iddo lofruddio Margaret Davies, canfuwyd ymron gant a hanner o lythyrau a ddanfonodd iddi yn datgan ei gariad tuag atl am yn ail â'i bygwth.

Ar ôl bod yn cadw tafarn y *Crown* yn y Talwrn, symudodd Margaret a Bertram (Bert) Davies ym mis Gorffennaf 1935 i rif 63 Heol Talwrn, Coedpoeth, ger Wrecsam. Saer maen oedd Bert, ac roedd yn ail ŵr i Margaret. Roedd trefniadau'r cartref yn rhai hynod gyda Margaret yn cysgu mewn un stafell wely a Bert a mab Margaret o'r briodas gyntaf, Charles Dennis Clowes, yn cysgu mewn stafell arall.

Yn 1937 daeth Frank Booth Joynson, gŵr priod o Stockport, i letya yn y cartref. Ymunodd â'r llynges gan wasanaethu ar long ryfel. Ar ôl dychwelyd a phriodi a dod yn dad i ddau o blant, bu mewn gwahanol swyddi cyn ymuno â'r *Cooperative Wholesale Society*, gwaith a olygai gryn deithio. Arhosai weithiau yng nghartref Margaret a Bert ond, oherwydd ei absenoldeb mynych o'i gartref, fe chwalodd y briodas. Yn fuan syrthiodd mewn cariad â Margaret.

Trodd Joynson yn genfigennus. Gwae'r neb a wnâi hyd yn oed edrych ar Margaret. Roedd lle i gredu ei bod hithau'n gellweirus ac yn gweld dynion eraill, yn eu plith Wilfred Cheseworth, a oedd wedi bod yn lletya yn y *Crown* pan oedd Margaret a Bert yn ei gadw, a dyn arall o'r enw Povey.

Cyn hir bu'n rhaid i Joynson roi'r gorau i'w waith oherwydd salwch. Ceisiodd Margaret ei ddarbwyllo i ddychwelyd at ei wraig ond gwrthododd. Yn y cyfamser agorodd siop fetio yn rhif 5 Heol Wrecsam, Lodge, Brymbo.

Daeth Dennis, mab Margaret, i amau fod rhywbeth rhwng ei fam a Joynson. Pan gyhuddodd ei fam o gael perthynas â Joynson, taflodd honno dun enamel ato a'i daro yn ei ben. Y noson honno dywedodd y cyfan wrth ei lystad, ond cymerodd hwnnw ochr Margaret a bu'n rhaid i Dennis adael.

Am 6.45 fore dydd Llun, 2 Mai 1938, gadawodd Bert y tŷ i fynd i'w waith. Gadawodd Dennis yr un pryd. Pan alwodd asiant Cwmni Yswiriant y *Prudential* i gasglu tâl y premiwm, sylwodd fod gan Margaret nifer o bapurau punnoedd yn ei bag llaw. Wrth iddo adael, dywedodd Margaret wrtho'n gellweirus y byddai hi'n iawn i fynd i Rasys Caer gyda'r holl arian a dywedodd wrth Jones am alw amdani i fynd â hi yno. Roedd Joynson yn y tŷ a sylwodd Jones ei fod yn gwisgo trowsus gabardîn llwyd wedi ei smwddio'n ddestlus.

Roedd Thomas Idris Evans, gweithiwr dur, yn byw gerllaw ac ychydig ar ôl caniad hwter un ar ddeg aeth draw i gartref Margaret i fenthyca berfa. Yno gwelodd Joynson yn ymddwyn yn rhyfedd. Penderfynodd Evans fynd at rywun arall i ofyn am ferfa.

Yn gynnar y prynhawn hwnnw galwodd ail fab Margaret, Percival Clowes, labrwr o Heol Brychdyn, yng nghartref ei fam. Ond roedd y drws cefn ynghlo. Ar ôl cysgodi yn y sied am ychydig a syllu drwy'r ffenestri, aeth oddi yno.

Pan ddychwelodd Bert o'i waith ychydig cyn 6.00, roedd y drws ffrynt ynghlo. Drwy'r ffenest gwelodd ei wraig yn gorwedd ar y llawr mewn pwll o waed. Dringodd drwy ffenest a chael fod y drws i'r stafell lle gorweddai ei wraig hefyd ynghlo. Defnyddiodd brocer i dorri ei ffordd i mewn. Roedd Margaret, er mewn cyflwr difrifol, yn dal yn fyw. Cyrhaeddodd y meddyg, Dr David Benjamin Evans, ac aethpwyd â hi i Ysbyty Goffa Wrecsam lle bu farw am 10.30 yr un noson.

Yn yr archwiliad *post mortem* canfu'r Patholegydd, Walter Henry Grace, gleisiau ar fronnau ac ysgwyddau Margaret, ond anafiadau i'w phen oedd wedi achosi ei marwolaeth. Roedd y pen wedi derbyn dwy ergyd drom. Roedd y benglog wedi torri, ac achos y farwolaeth oedd sioc a gwaedlif o ganlyniad i hynny.

Yn y tŷ daethpwyd o hyd i forthwyl ac arno olion gwaed a 14 blewyn o wallt wedi glynu wrtho. Canfuwyd hefyd drowsus gabardîn ac arno olion gwaed. Ac ar ddarn o bapur yn y stafell eistedd canfuwyd cyfaddefiad Frank Joynson. Dywedodd mai ef oedd wedi lladd Margaret ond mai ar Cheseworth oedd y bai. Enwodd Povey hefyd. Yn y nodyn, a oedd wedi ei fwriadu ar gyfer Bert, dywedodd wrth hwnnw y dylai ystyried lladd Cheseworth.

Gwelwyd Joynson gan nifer o dystion yn ystod y dydd. Ymddangosai'n orffwyll a gwelwyd fod ganddo gryn arian yn ei feddiant. Mynegodd wrth un tyst ei fod am ladd ei hun. Yna fe'i gwelwyd gan ddau gyfaill, John Ellis Harrison a Tom Bellis, ger Pwll Nofio Brymbo. Neidiodd Joynson i'r dŵr ond llwyddodd y ddau i'w achub. Ceisiodd ryddhau ei hun ond fe glymwyd ei draed a'i ddwylo a'i ddwyn i Swyddfa'r Heddlu. Erbyn hynny roedd bron yn anymwybodol.

Canfuwyd 149 o lythyron oddi wrtho at Margaret Davies yn y tŷ, a phan archwiliwyd ei siop gwelwyd piben nwy wedi'i thorri a'i phlygu a chrys wedi'i osod fel gobennydd ar y llawr, awgrym ei fod wedi paratoi at ladd ei hun ond wedi methu. Yn wir, ymhlith nifer o amlenni wedi eu cyfeirio at wahanol bobl gwelwyd un yn cynnwys y nodyn,

'I Gwmni Nwy Wrecsam.

Dyw eich blydi nwy yn dda i ddim.'

Dangosodd y gwahanol nodiadau a gafwyd yn yr amlenni ei fod yn awyddus i glirio'i ddyledion i gyd. Mewn nodyn at ei fam dywedodd,

'Mam. Peidiwch â gofidio amdanaf fi. Roeddwn mewn cariad â'r ferch yna fel y'ch chi'n gwybod, ac roedd hi'n fy herio o hyd i'w lladd hi, jest beth oedd hi am i mi wneud. Dwedwch wrth bawb am beidio gofidio, nid wyf yn werth hynny.'

Mewn nodyn arall mynnai i'r Crwner gael gwybod ei fod yn ei lawn synhwyrau. Unwaith eto beiodd Cheseworth. Dywedodd iddo geisio am awr ladd ei hun â'r nwy, a chan i hynny fethu yfodd ddwy botelaid o wisgi.

Pan archwiliwyd Joynson yng Ngharchar Amwythig gan Dr Frank Jones, Arolygydd Meddygol Sefydliad Meddwl Gogledd Cymru, daeth hwnnw i'r casgliad ei fod yn dioddef o epilepsi er ei fod yn cofio popeth a wnaeth ac yn gwybod beth a wnaeth ynghyd â'r rheswm dros hynny. Daeth dau feddyg arall hefyd i'r un casgliad.

Ymddangosodd Joynson gerbron yr Ustus Singleton ym Mrawdlys Rhuthun ddydd Mawrth, 14 Mehefin 1938, gyda W.N. Stable C.B. a Bertram Reece yn erlyn a Ralph Sutton C.B. a J.P. Eladen yn amddiffyn. Ceisiodd Joynson brofi ei fod yn wallgof pan gyflawnodd y drosedd. Gwrthododd y

Barnwr hyn, a chwarter awr yn unig a gymerodd i'r rheithgor ddychwelyd dedfryd o euog. Penderfynwyd dyddiad ei grogi, sef dydd Mawrth, 5 Gorffennaf. Apeliodd yn aflwyddiannus yn erbyn y ddedfryd ond yn dilyn cyflwyno deiseb a drefnwyd gan gyn-gyflogwr Joynson, George Houghton, tafarnwr y *Bull's Head* yn Stockport, penderfynodd yr Ysgrifennydd Cartref leihau'r gosb i benyd wasanaeth am oes.

William Augustus Lacey

Ychydig cyn y Nadolig 1899 daeth morwr o'r enw Augustus O'Connor, brodor o ynysoedd India'r Gorllewin, i mewn i borthladd Hull ar y llong ager yr *SS Flintshire*. Aeth oddi yno adref at ei wraig – Cymraes o'r enw Mary Ann – a'i blant yn rhif 16 Maritime Terrace, Abertawe. Morwr du arall ar y llong oedd William Augustus Lacey o Kingston, Jamaica. Roedd y ddau yn gyfeillion ar ôl iddynt fod yn gydweithwyr mewn glofa ym Merthyr Tudful. Gwahoddodd O'Connor ei gyfaill i aros yn ei gartref tra oedd yn chwilio am waith.

Trigai rhieni Mary Ann, Mr a Mrs Joseph, yn rhif 38 Stryd Hoo, Porth Tennant a thrigai un o'u plant, Pauline, gyda hwy. Roedd Pauline eisoes wedi cael plentyn a oedd wedi marw'n bum mis oed, ac er bod deng mlynedd o wahaniaeth oedran rhyngddynt, datblygodd perthynas bron ar unwaith rhwng y ferch a Lacey.

Gwrthwynebai ei rhieni'r berthynas ond anwybyddu eu cyngor wnaeth Pauline ac ar ddydd Mawrth y Pasg 1900, priodwyd y ddau yn Swyddfa Gofrestru Abertawe. Yn fuan wedyn symudodd y ddau i fyw ym Mhontypridd a chafodd Lacey waith fel labrwr ar y sifft nos yng Nglofa Tŷ Mawr. Yna, ar 22 Mehefin, aeth y ddau i fyw mewn lodjins yng nghartref Mrs Catherine Vaughan yn rhif 21 Barry Terrace, Pwllgwaun.

Roedd Pauline yn ferch eithriadol o ddeniadol, a'i gŵr yn ddyn cenfigennus iawn; er nad oedd unrhyw dystiolaeth fod ei wraig yn anffyddlon, tyfodd drwgdybiaeth yn ei feddwl. Ei fygythiad i fam Pauline oedd, 'Os na chaf i hi, fe gymera i'r rhaff o'i hachos hi.'

Oherwydd ei ddrwgdybiaeth dechreuodd aros adref o'i waith gan ei fod yn ofni ei gadael ar ei phen ei hun drwy'r nos. Achosodd hyn gryn gweryla rhyngddynt. Bu Mrs Vaughan yn dyst i sawl cweryl a bygythiodd eu taflu allan os na ddeuai'r cweryla i ben.

Y tro olaf i Lacey fynd i'w waith oedd nos Lun, 2 Gorffennaf, ac ar ôl bod yn absennol am dair noson, cyhuddodd Pauline ef o fod yn ddiog. Yna, nos Iau'r ôod, bu cweryl arall rhyngddynt cyn – ac ar ôl – mynd i'r gwely. Clywodd Mrs Vaughan hwy yn gweiddi ar ei gilydd a'r ddau yn ymgiprys. Wedi rhai oriau, curodd Mrs Vaughan y pared gan alw am dawelwch, a bu distawrwydd am weddill y noson. Ond ailddechreuodd y cweryla dros y bwrdd brecwast trannoeth. Yng ngŵydd Mrs Vaughan, cyfeiriodd Pauline at y ffaith fod Lacey wedi colli tair sifft ac na ddeuai fawr o arian i mewn ddydd Sadwrn ar gyfer y rhent.

Wedi hanner awr o gweryla cafodd Mrs Vaughan ddigon ac aeth allan i dŷ cymydog. Ond ychydig cyn 11.00 clywodd weiddi a sgrechian yn dod o gyfeiriad ei chartref a rhuthrodd cymdoges arall, Mary Cole, rhif 20 Barry Terrace, draw i ddweud fod rhywbeth ofnadwy'n digwydd yno. Aeth Mrs Vaughan adref yn disgwyl mwy o gweryla. Ond fe wynebodd rywbeth gwaeth o lawer. Gwelodd Pauline yn gorwedd mewn llyn o waed a'i dillad ar agor y tu blaen. Nid oedd sôn am ei gŵr.

Rhedodd Mrs Vaughan at Emily McKenny yn rhif 11 Barry Terrace ac aeth y ddwy yn ôl i'r tŷ. Gwelsant fod gwddf Pauline wedi'i dorri. Ar y llawr wrth ei hymyl gorweddai rasel a oedd ynghau gydag olion gwaed ar y carn.

Yn y cyfamser roedd y cwnstabl David Evans ar ddyletswydd yng Ngorsaf yr Heddlu yn y dref pan gerddodd Lacey i mewn. Ildiodd ei hun ar unwaith a dweud iddo ladd ei wraig. Sylwodd yr heddwas fod toriad ar dalcen y dyn a'i fod yn gwaedu. Aeth y swyddog ar unwaith i rif 21 Barry Terrace cyn dychwelyd i holi Lacey. Cyfaddefodd iddo ladd Pauline am iddi fygwth ei adael a hefyd ei wawdio drwy fynnu y buasai hi'n hapusach gyda thad ei baban. Cyhuddodd Lacey o gael cyfathrach gyda'i chwaer hi yn Abertawe. Dywedodd Lacey ei fod yn caru ei wraig yn angerddol a chyn y cawsai unrhyw ddyn arall hi, gwell fyddai ganddo ei gweld yn gorwedd yn y bedd, ac ef ei hun hefyd. 'Gwnes y cyfan fel dyn, ac ildiais i'r heddlu,' meddai.

Ond dechreuodd Lacey newid ei stori gan fynnu i Pauline ofyn iddo ei lladd. Ni fedrai wneud hynny ond yna sylwodd fod rasel o dan fraich ei wraig. Cyn iddo gael amser i wneud dim, agorodd Pauline y rasel a thorri ei gwddf ei hun. Roedd hi'n dal yn fyw a gofynnodd i Lacey orffen y gwaith. Ac fe wnaeth yn ôl ei gofyn cyn ildio'i hun i'r heddlu.

Yn y Cwest ar y dydd Sadwrn, 7 Gorffennaf, dychwelwyd dedfryd o lofruddio yn erbyn Lacey. Erbyn iddo wynebu Llys yr Heddlu y dydd Mercher canlynol roedd wedi newid ei stori unwaith eto. Y tro hwn dywedodd fod Pauline wedi ymosod arno ef â'r rasel. Yna disgynnodd ar ei liniau a dechreuodd weddïo cyn codi ar ei draed, curo ymyl y doc a gweiddi ei fod yn ddieuog. Traddodwyd ef i sefyll ei brawf ac ymddangosodd o flaen Mr Ustus Grantham ym Mrawdlys Abertawe ddydd Iau, 2 Awst. Yn erlyn roedd S.T. Evans ac R.E. Vaughan

Williams gyda W. Bowen Rowlands ac A.C. Thomas yn amddiffyn.

Tystiodd Dr Howard Davies fod gwddf Pauline wedi ei dorri o glust i glust a thoriadau ar ei dwylo yn dangos iddi geisio amddiffyn ei hun. Dywedodd Emily McKenny i Pauline ddweud wrthi hi yng ngŵydd Lacey fod ei gŵr yn ddiog a'i bod yn ystyried symud yn ôl at ei rhieni. Pan glywodd hyn, roedd Lacey wedi bygwth y gwnâi rywbeth iddi os digwyddai hynny, gan dynnu ei fys ar draws ei wddf i bwysleisio'r pwynt.

Yn y bocs cyhuddodd Lacey ei gyn-gyfaill Augustus O'Connor o achosi trafferth rhyngddo ef a'i wraig. Ef oedd wedi hau'r stori fod Lacey wedi cael perthynas gyda chwaer Pauline. Credodd Pauline y stori gan fynd yn isel ei hysbryd a dangos tueddiadau tuag at ladd ei hun. Ni chymerodd ef unrhyw ran yn ei marwolaeth.

Ni fu'r rheithgor yn hir cyn dychwelyd dyfarniad o lofruddiaeth fwriadol yn erbyn Lacey. Dedfrydwyd ef i'w grogi. Gwnaed hynny yng Ngharchar Caerdydd ddydd Mawrth, 21 Awst, gan James a William Billington. Yn ôl y papurau, ymgasglodd rhai miloedd y tu allan i weld y faner ddu yn cael ei chodi i ddynodi'r crogi cyntaf yn yr ugeinfed ganrif yng Nghymru.

Cludwyd corff Pauline Lacey ar drên i Abertawe ar yr union ddiwrnod ag y traddodwyd ei gŵr i sefyll ei brawf, ac yn Abertawe y claddwyd hi. Yn ddiweddarach y daethpwyd i wybod fod William Augustus Lacey eisoes yn briod. Roedd ganddo wraig a phlant gartref ar ynysoedd India'r Gorllewin.

Joseph Alan Vincent Lane

Yn y llofruddiaeth gyntaf i'w chofnodi yn y Beibl, cafwyd Cain yn lladd Abel, brawd yn llofruddio brawd. Ailadroddwyd hyn ym Mrynaman Uchaf yn 1977 pan laddwyd Sammy Lane gan ei frawd, Joe.

Trigai Samuel Branston Lane, 47 oed, gyda'i wraig a'u pedwar plentyn yn rhif 3 Esgair Ynys. Amrywiai'r plant o ran oedran rhwng un ar hugain a saith oed. Buasai Sammy yn y fyddin rhwng 1947 a 1952 pan ddatblygodd afiechyd, ac o 1968 ymlaen derbyniai bensiwn afiechyd gan y fyddin. Ac yntau wedi gorfod rhoi'r gorau i'w waith, torrwyd padell ei ben-glin pan giciwyd ef gan geffyl.

Roedd Sammy yn un o un ar ddeg o blant, gyda Joseph Alan Vincent Lane, neu Joe, bum mlynedd yn iau nag ef. Roedd Joe yn ddibriod ac yn berchen ar bedwar ceffyl, car modur a chae ger Esgair Ynys. Symudodd i fyw i gartref ei frawd a datblygodd cyfathrach rhwng Joe a gwraig Sammy, Valery. Llwyddodd Sammy i brofi hynny drwy eu gwylio gyda'i gilydd drwy dwll a dorrodd yn llawr ei stafell wely a'u gweld ar y soffa yn y stafell oddi tano. Roedd hyn ym mis Mai 1975, a bu raid i Joe adael y cartref ar unwaith.

Am dridiau bu Joe yn byw mewn caban ar safle cloddio glo brig yn Nhai'rgwaith, lle gweithiai. Yna symudodd i fyw at chwaer yng Nghross Hands. Ond ar ôl tair wythnos aeth Joe a Valery i ffwrdd gyda'i gilydd i fyw gyda chwaer arall iddo, Miriam, yn Benfleet, Essex gan fynd â phlentyn ieuengaf Sammy a Valery, Richard, gyda hwy er i hwnnw ddychwelyd i Frynaman ymhen pum niwrnod.

Gadawodd Joe neges i'w frawd cyn gadael yn dweud wrtho am werthu'r cae a'r pedwar ceffyl a rhannu'r arian rhwng y plant. A dyma a wnaed. Ond ar ôl chwe mis, penderfynodd Valery ddychwelyd at Sammy, a maddeuodd iddi. Ond dechreuodd Joe feddwl mai cynllwyn fu'r cyfan er mwyn i'w frawd a'i deulu gael eu dwylo ar y cae a'r ceffylau.

Ar ôl blwyddyn, dychwelodd Joe yntau i'r ardal. Prynodd garafán ac aeth i fyw ynddi yng ngardd un o fythynnod y *Red Lion* yng Ngwauncaegurwen lle cafodd ei waith yn ôl yn y lofa glo brig. Ond dechreuodd fagu casineb at Sammy, casineb a drodd yn obsesiwn.

Datgelodd Joe ei gasineb tuag at ei frawd wrth rai o'i gyfeillion. Un ohonynt oedd Elaine, gwraig George Conibeer, perchennog y tir lle safai carafán Joe. Gofynnodd iddi beth fyddai'r gosb pe saethai ei frawd. Roedd George yn berchen ar dri gwn, a gwyddai Joe hynny.

Nos Wener, 8 Gorffennaf 1977, roedd Sammy a Valery yn eistedd yn eu stafell ffrynt gyda'u mab Richard yn gwylio'r teledu. Tua 10.15 cododd Sammy i fynd i'r gegin i wneud paned o de iddo ef a'i wraig. Wrth iddo ferwi'r tegell clywodd ei wraig sŵn ergyd dryll. Yn y gegin gwelodd Sammy yn gorwedd ar lawr ynghanol ei waed ei hun gydag archoll anferth yn ei fol. Gollyngodd sgrech ac yna gwelodd ei brawd-yng-nghyfraith ar y trothwy yn anelu'r gwn at Sammy. Roedd hwnnw'n dal yn fyw a cheisiodd hi wthio'r drws ynghau â'i throed. Llwyddodd Valery i gau'r drws ond gwthiodd Joe faril y gwn drwy wydr isaf y drws a thaniodd ail ergyd.

Mewn ystafell wely yn gwylio'r teledu gyda'i chariad,

Cyril Llewellyn, roedd Tina, merch Valery. Rhuthrodd y ddau i'r gegin a llwyddodd Llewellyn i dynnu'r gwn o ddwylo Joe. Cludwyd Sammy i Ysbyty Singleton, Abertawe ond bu farw am 12.55 y bore wedyn o anafiadau mewnol difrifol.

Dihangodd Joe, ond tua 5.30 yr un prynhawn gwelwyd ef ar do Park Hall, adeilad gwag ger tafarn y *Crown* ym Mrynaman Isaf. Ceisiodd y Cwnstabl Mel Griffiths a'r Ditectif Brif Arolygydd Roy Davies (yr awdur) ei berswadio i ddod i lawr, ond yn ofer. Bygythiodd neidio am na allai wynebu carchar ond, tua 7.30, fe ildiodd.

Cyfaddefodd i'r syniad o ladd ei frawd fod ar ei feddwl ers wythnosau. Ychydig cyn y llofruddiaeth roedd wedi mynd i gartref George Conibeer lle'r oedd mab hwnnw, Mark, yn gwylio'r teledu. Anfonodd Joe ef allan i nôl sigaréts. Cydiodd yn un o'r tri dryll a dwy getrisen ond yna newidiodd ei feddwl. Y ffilm ar y teledu oedd *Joey Blue Eyes* yn y gyfres *The Rockford Files*. Yn y ffilm roedd dyn yn bygwth saethu dyn arall, a hwnnw'n ymbilio arno, *'Oh no, Joey. No.'* Roedd hwnnw yr un enw ag ef. Symudodd Joey yn araf at y llall a'i saethu. A dyna pryd y penderfynodd Joe saethu ei frawd. Danfonodd Mark allan yr eilwaith, y tro hwn i nôl allweddi ei gar. Cydiodd yntau yn y dryll a'r cetris.

Pan gyrhaeddodd Esgair Ynys a gweld ei frawd drwy'r ffenest, curodd ar y drws ac fe'i hagorwyd gan Sammy. Pwyntiodd Joe y dryll tuag ato a geiriau ei frawd oedd, *No, Jo. No, Joe* gan gilio'n ôl. Saethodd Joe ef, ac yna fe'i saethodd yr eildro cyn dianc ac yfed dau beint yn y *Crown* cyn cuddio yn yr adeilad gwag drws nesaf.

Credir i Joe ddifaru o'r eiliad y taniodd. O'r eiliad honno ymlaen ni wnaeth gysgu nemor ddim. Erbyn iddo sefyll ei brawf yn llys y Goron, Caerfyrddin ar Dachwedd 15ed roedd wedi colli llawer o bwysau. Derbyniwyd ei ble o ddieuog i lofruddiaeth ond euog i ddynladdiad, a charcharwyd ef am chwe blynedd.

Yng Ngharchar Bryste gwaethygodd ei gyflwr ac ym mis Mawrth 1979 gwnaeth gais am barôl. Mewn adroddiad dywedodd y Ditectif Brif Arolygydd Roy Davies y byddai'n gymwys i'w ryddhau ar barôl gan na fyddai Joe, yn ei farn ef, yn berygl i neb arall. Ei frawd oedd ei elyn, a hwnnw yn unig yr oedd am ei ladd. Ddeufis yn ddiweddarach, ddydd Sul, 13 Medi, cafwyd Joe wedi ei grogi ei hun â rhaff a wnaeth o'i ddillad gwely.

Gwaith anodd fu hysbysu'r fam am farwolaeth Sammy. Gwaith anoo fu dwoud wrthi'n fuan wodyn mai Joo, mab arall iddi, a gyflawnodd y weithred ysgeler. Yn awr rhaid oedd torri'r newydd iddi am hunanladdiad Joe. Bu farw hithau'n fuan wedyn a chladdwyd hi gyda Joe ym Mynwent Gyhoeddus Llan-non ger Llanelli.

Roedd hon yn enghraifft o drais ar y teledu yn ysgogi rhywun i wneud yr un peth. Oni bai am y ffilm *Joey Blue Eyes*, hwyrach na fuasai Sammy Lane wedi'i ladd y noson honno. A dyma ailadrodd hanes Cain yn lladd ei frawd, yn dianc ac yn llefaru ymron yr union eiriau, 'Mae fy nghosb yn ormod i'w dwyn'. Ni newidiodd y natur ddynol dros y canrifoedd.

Cymeriad hoffus oedd Sammy Lane, a diddorol yw nodi mai ef oedd y bachgen olaf i dderbyn cosb gorfforol yn Sir Gaerfyrddin. Hyd 1948 cawsai'r Llysoedd hawl i ddedfrydu cosb o chwipio plant dan ddwy ar bymtheg oed am droseddu. Yn 1942 cafodd Sammy Lane ei brofi'n euog o dorri i mewn i stordy arfau yn Llandeilo a dwyn adnoddau rhyfel, sef bwledi ac ati. Ei gosb fu derbyn ergydion â chwip, cosb a weinyddwyd gan Arolygydd yr Heddlu yng Ngorsaf Heddlu Llandeilo.

Nicky Lee

Dylai unrhyw un sy'n credu mewn cyfreithloni cyffuriau adloniadol astudio achos gŵr ifanc o Lanelli a newidiodd ei gymeriad yn llwyr ar ôl defnyddio *LSD*.

Y dioddefydd yn yr achos hwn oedd Jennifer Wendy Williams, merch a anwyd ar 22 Rhagfyr 1957, ac a fabwysiadwyd gan John ac Eileen Williams pan oedd yn ddwy flwydd a hanner oed. Yna cafodd ei rhieni mabwysiedig ysgariad a bu Jennifer yn byw gydag Eileen yn rhif 10 Heol Pencefnarda, Gorseinon ger Abertawe. Cafodd Jennifer fagwraeth dda a sicrhaodd swydd gyda chwmni yswiriant y *Royal* yn Stryd Caer, Abertawe. Ac yno y bu nes i'w hoes fer ddod i ben a hithau ond yn 18 oed.

Roedd Jennifer a'i ffrind, Liz Phillips, wedi dechrau cyfeillachu â dau ffrind o Lanelli, Nicky Lee ac Emlyn James Mathias. Roedd Nicky o dras y sipsiwn ac yn byw mewn carafán yng Ngwersyll Morfa. Ac ar noson 5 Mai 1975, trefnodd y pedwar i gwrdd yn nhafarn y *Whitehall Vaults* yn Llanelli. Ond cyn mynd yno treuliodd y ddau lanc rai oriau yng nghwmni Cornelius Edwards yn Abertawe yn crwydro'r tafarndai ac yn chwilio am ganabis. Ar y ffordd yn ôl fe fu Lee yn smygu peth o'r cyffur ond, yn ôl ei honiad ef – ac yn ôl ei ffrindiau – heb i hynny gael unrhyw effaith arno.

Defnyddiwr digon dibrofiad oedd Lee, felly galwodd yn

nhafarn y *Strongbow* yn Stryd Murray, Llanelli i ofyn cyngor rhywun profiadol yn y busnes, un o gwsmeriaid y dafarn. Wrth i hwnnw baratoi pedair sigarét yn cynnwys y cyffur, cawsant gynnig prynu *LSD* gan gwsmer arall. Gwrthododd Mathias ond derbyniodd Lee un dabled a'i llyncu gyda pheint o gwrw yn y fan a'r lle. Yna aeth y ddau ffrind ymlaen i gwrdd â'r merched yn y *Whitehall Vaults* ac yna ymlaen yn fan Lee i Ddoc y Gogledd. Roedd dociau Llanelli wedi bod yn segur ers blynyddoedd ac yno y treuliai llawer o gariadon eu hamser.

Eisteddodd Lee a Jennifer yn y seddi blaen a'r ddau arall yn y cefn ac yno bu'r pedwar yn smygu canabis. Teimlodd Liz Phillips yn sâl am ychydig ond yn ddiweddarach cafodd hi a Mathias gyfathrach rywiol.

Tua 10.30 dywedodd Liz ei bod am fynd adre. Yna sylweddolwyd fod Lee wedi mynd yn dawel iawn a heb yngan gair ers peth amser. Yn sydyn, heb unrhyw rybudd, dechreuodd ymosod ar Jennifer. Trawodd hi yn ei hwyneb nifer o weithiau a thynnodd ei gwallt cyn mynd ati i daro unrhyw beth o fewn cyrraedd. Mae'n debygol fod Mathias yn gwybod am effeithiau *LSD* gan iddo redeg i ffwrdd nerth ei draed gan adael y ddwy ferch yn gweiddi am help.

Llwyddodd y ddwy i ddianc o'r fan ond dilynodd Lee hwy a'u dal ac yna ymosod arnynt fel anifail gwyllt. Ceisiodd y ddwy ymladd yn ôl a'i dawelu, ond roedd yn orffwyll. Cydiodd yn Jennifer a'i tharo ar ei phen â bricsen. Rhedodd Liz Phillips i chwilio am gymorth. Galwodd am help Stephen Thomas, a oedd mewn car gerllaw yng nghwmni merch ifanc. Pan gyrhaeddodd hwnnw at Jennifer a Lee cafodd fod y ddau yn gorwedd yn llonydd ar lawr. Yna cododd Lee yn sydyn a dechrau ymosod ar Thomas.

Galwodd Liz Phillips yr heddlu a chyrhaeddodd y Rhingyll Ifor Herbert a'r Cwnstabl Vic Thomas. Gwelsant

Lee yn gorwedd tua dau gan llath o'r fan, tra oedd Jennifer yn gorwedd mewn pwll o waed tua hanner canllath oddi wrtho. Sylweddolodd y ddau heddwas fod y ferch bron y tu hwnt i gymorth. Yna, ffyrnigodd Lee unwaith eto gan ymosod ar yr heddweision. Roedd Vic Thomas a Lee yn adnabod ei gilydd yn dda ond nid oedd y llanc fel petai'n adnabod Thomas. Dim ond y ffaith fod Vic Thomas yn un o swyddogion cryfaf Heddlu Dyfed-Powys fu'n gyfrifol am i'r ddau gael y gorau ar Lee. Fe'i harestiwyd a'i gloi mewn cell.

Archwiliwyd Lee gan feddyg ond roedd yn amhosib cynnal sgwrs ag ef. Hyd yn oed bedair awr yn ddiweddarach ni allai ystyried y sefyllfa ddifrifol yr oedd ynddi ac ni wnâi ddim ond chwerthin yn wirion. Yn y cyfamser dangosodd archwiliad *post mortem* i Jennifer Williams farw o effeithiau anafiadau difrifol i'w phen.

Ddim ond am 10.30 y bore wedyn, ar ôl trydydd ymchwiliad gan y meddyg, y llwyddwyd i holi Lee am y llofruddiaeth. Ni allai – neu ni fynnai – gofio dim ar wahân iddo fynd i Abertawe ac iddo yrru'r fan i Ddoc y Gogledd. Cyhuddwyd ef o lofruddiaeth a'i draddodi i sefyll ei brawf. Cytunwyd mai euog o ddynladdiad oedd Lee yn hytrach na llofruddiaeth, a derbyniodd Cyfarwyddwr yr Erlyniadau Cyhoeddus nad oedd Lee yn gyfrifol am y weithred gan ei fod o dan ddylanwad cyffuriau. Pe gellid profi y gwyddai rhag-blaen am effeithiau'r cyffur, yna byddai'n stori wahanol. Ond yn absenoldeb y prawf hwnnw fe'i erlynwyd ar gyhuddiad o ddynladdiad.

Ymddangosodd o flaen y Barnwr Tasker Watkins yn Llys y Goron, Caerdydd ddydd Iau, 13 Tachwedd, ar ôl bod yn y ddalfa am chwe mis. Amlinellwyd yr achos yn ei erbyn gan y bargyfreithiwr Michael Evans. Beirniadwyd Emlyn Mathias yn hallt gan y Barnwr. Petai hwnnw wedi sefyll ei dir, meddai, roedd hi'n bosibl y byddai'r ferch ifanc yn dal yn fyw. Nid rhyfedd iddo felly ennill iddo'i hun y llysenw 'Siwpertshic'.

Derbyniwyd ple Nicky Lee o fod yn euog i ddynladdiad a dedfrydwyd ef i 15 mis o garchar. Ond o dan y Ddeddf Cyfiawnder Troseddol ar y pryd, pan gâi rhywun rhwng 17 a 21 oed ei garcharu am unrhyw drosedd ar wahân i lofruddiaeth, y gosb fyddai naill ai carchar hyd at chwe mis neu dair blynedd neu fwy na hynny. Tynnwyd sylw'r Barnwr at y camgymeriad hwn gan fargyfreithiwr Lee. Y canlyniad fu newid y ddedfryd i un o garchar am chwe mis. Ni theimlai y gallai gyfiawnhau'r carchariad hwy. A chan fod Lee eisoes wedi bod yn y ddalfa am ymron chwe mis, gyda'r hawl i ddau fis o leihad am ymddwyn yn dda, fe'l rhyddhawyd. Felly roedd Nicky Lee yn ôl yn Llanelli o flaen y ditectif a fu'n gyfrifol am baratoi'r achos.

Dylai'r rheiny sydd am weld cyfreithloni cyffuriau adloniadol gofio'r disgrifiad yn y llys o'r hyn a ddigwyddodd i Nicky Lee. Fe drodd dyn hynaws a thawel i fod yn ddyn gwyllt heb unrhyw reolaeth arno'i hun.

Joseph Lewis

Pan gynigiwyd dymuniad olaf i Joseph Lewis cyn iddo gael ei grogi, gofynnodd am gael ymladd pencampwr pwysau trwm y byd. Roedd yr ateb yn nodweddiadol o ddyn a gafodd fywyd lliwgar cyn iddo drengi ar grocbren i gyfeiliant canu emynau.

Fis Ebrill 1898 aeth 90,000 o lowyr De Cymru ar streic. O ganlyniad cododd dyledion y gweithwyr a dioddefodd teuluoedd cyfan o newyn. Un ateb i'r broblem honno oedd troi at herwhela, a man delfrydol ar gyfer hynny oedd Coed Stad Margam ger Porth Talbot. Un o giperiaid y stad oedd Robert Scott, a thua 8.00 o'r gloch nos Iau, 8 Mehefin, clywodd ef a dau giper arall sŵn ergydion dryll ger Coed Cwmalog yng Nghwm Phillip yn dod o gyfeiriad Mynydd Margam. Aeth Scott ar ei ben ei hun tuag at ffynhonnell y sŵn. Erbyn 6.00 o'r gloch y bore doedd Scott heb ddychwelyd. Ac o alw yn ei gartref, clywsant nad oedd yn y fan honno chwaith, ac aethant i chwilio amdano.

Tua 9.00 o'r gloch y bore, tua milltir o'r fan lle gwelsant ef olaf, daethant o hyd i'w gorff. Roedd wedi ei saethu yn ei wyneb. Dywedwyd gan Dr Hopkin Davies ar ôl archwiliad *post mortem* iddo farw o sioc o ganlyniad i archollion a achoswyd gan ergydion o ddryll. Roedd ei benglog wedi'i dorri'n ddarnau.

Brodor o Drefach, y Tymbl, oedd Joseph Lewis. Ganwyd

ef yn 1868 a disgrifiwyd ef fel bachgen gwyllt ac anystywallt. Dysgodd grefft saer coed ond doedd dim digon o gyffro yn ei fywyd. Penderfynodd ymuno â'r *41st (Welsh) Regiment* pan yn 17 oed, a bu gyda hwy am wyth mlynedd. Aeth ei fataliwn allan i Cairo ac yna India. Buan y'i dyrchafwyd i fod yn is-ringyll ond collodd ei streips wedi iddo ddianc gyda menyw trapîs o Syrcas Gregory ar Ynys Melita. Carcharwyd ef, yna aeth gyda'i gatrawd i'r Swdan i ymgyrch Suakim lle'r ymladdodd ym mrwydr Assouan gan ennill Medal Suakim.

Yn 1889 dihangodd eto i chwilio am y fenyw syrcas cyn dychwelyd i Gymru. Yna, yn 1891, fe'i harestiwyd am ddwyn wats boced William Thomas, Pontyberem ac yng Ngorsaf yr Heddlu yn Llanelli cyfaddefodd iddo ffoi o'r fyddin. Cyrchwyd ef yn ôl gan osgordd filwrol. Y tro hwn arhosodd gyda'r fyddin tan 1896, pan ddychwelodd i Sir Gaerfyrddin. Yno carcharwyd ef am fis am ddwyn wats boced myfyriwr yn nhafarn Neuadd yr Undeb yn nhre Caerfyrddin. Trodd wedyn am dde Cymru i chwilio am waith.

Erbyn hyn roedd Joe Lewis wedi newid ei enw i Joseph Harris ar ôl dod â merch i drwbwl yng Nghaerfyrddin. Er iddo addo talu tuag at y plentyn, dihangodd i Sir Forgannwg lle bu'n gweithio mewn glofa. Cafodd lety yng nghartref Henry 'Coesau' Jones yn rhif 18 Stryd yr Undeb, Nantyffyllon. Cyn gadael Caerfyrddin prynodd ddryll.

Roedd gan Henry enw fel herwheliwr ac roedd wedi bygwth Robert Scott beth amser cyn hynny. Glöwr oedd Henry yng Nglofa Coegnant ond yn awr, fel pob glöwr arall, roedd ar streic. Arestiwyd ef ar amheuaeth o ladd Scott ond aeth ei wraig at yr heddlu i adrodd fod ei lletywr, Joseph Harris, wedi bod allan ar y noson dan sylw gyda dryll dwy faril yn ei feddiant. Roedd wedi cerdded tuag at

Fynydd Margam ac wedi cyfaddef yn ddiweddarach mai ef oedd y llofrudd. Ond roedd gan Joe *alibi*. Dywedodd Thomas a Hannah Williams, rhif 5 Bythynnod Salt Lake, Tai Bach iddo fod yn eu cartref hwy pan lofruddiwyd Scott.

Ond roedd dau dyst wedi gweld rhywun yn debyg i Joe yn cerdded y mynydd y noson honno ac wedi clywed sŵn ergydion. Holwyd ymhellach a chyfaddefodd Thomas a Hannah Williams i Joe addef wrthynt iddo saethu Scott. Cafwyd stori debyg gan John Griffiths, ffrind i Joe. Felly rhyddhawyd Henry 'Coesau' ac arestiwyd Joe. Arestiwyd Thomas a Hannah Williams hefyd am fod yn gyfrannog yn y drosedd.

Claddwyd Robert Scott ddydd Llun, 12 Mehefin, yn Eglwys Abaty Margam. Wrth i'r arch gael ei gollwng i'r bedd, er syndod i bawb, clywyd ergyd dryll o gyfeiriad yr union fan lle saethwyd yr ymadawedig.

Traddodwyd Joe o dan ei enw iawn i sefyll ei brawf ym Mrawdlys Abertawe ddydd Mercher, 10 Awst, o flaen yr Ustus Willis. Roedd Joe, am ryw reswm, wedi peintio chwarennau ei wddf ag eiodîn. Dywedodd y byddai, os deuai'n rhydd, yn ymfudo i Dde Affrica. Ond ar ôl dwy awr o drafod fe'i cafwyd yn euog gan y rheithgor a phennwyd dydd Mawrth, 30 Awst, fel dydd ei grogi. Yn ystod ei ddyddiau olaf cafodd ei siâr o dybaco *Twist* a'r fraint o ddewis yr emynau yn y gwasanaethau Sul ac wythnosol hyd ei farw.

Ei ddymuniad olaf oedd cael ymladd yn erbyn pencampwr pwysau trwm y byd, Bob Fitzimmons, concwerwr James J. Corbett. Ni chafodd ei ddymuniad. Ar noswyl ei grogi daeth y Parch. Osian Snelling, gweinidog yn Neuadd Albert, i arwain y canu y tu allan i'r carchar yng nghwmni llu o weithwyr yr Eglwys. Y bore wedyn ymgasglodd criw o'r Pentecostals y tu allan i ganu 'Craig yr

Oesoedd'.

Mae'n debyg iddo hwyluso gwaith Billington, y crogwr, wrth i hwnnw glymu ei ddwylo. Cerddodd yr orymdaith heibio i'r tŷ tröell draed at y crocbren. Y Prif Swyddog oedd yn arwain, yna yr Uchel Siryf, T.R. Thompson; yr Is Siryf, L.G. Williams; Rheolwr y Carchar, Capten Small; Meddyg y Carchar, Dr Howell Thomas; y Caplan, y Parch. J. Watkin Jones ac yna, yn cerdded rhwng dau swyddog carchar, y carcharor ei hun. Safodd Joe ar y drws trap heb unrhyw arwydd o ofn na chryndod. Am 7.50 canwyd cnul cloch y carchar bob yn ail funud hyd wyth o'r gloch.

Wrth iddo ddisgyn, codwyd y faner ddu, y tro olaf i hynny ddigwydd uwchben Carchar Abertawe. Llosgodd y dynion eu hetiau ac ailddechreuodd y canu. Canwyd *Sleep On, Beloved, Sleep, Take Thy Rest* a *Lead Kindly Light*. Mae'n debyg iddo fynd i'r crocbren fel dyn wedi i Gaplan y Carchar, Spencer Jones, ei annog wrth ei baratoi y diwrnod cynt, 'Pan ddônt i fynd â chi yfory, byddwch yn dawel ac yn ddewr – fel sowldiwr ar y parêd.'

Gadawyd Joe i hongian am yr awr arferol cyn ei dynnu i lawr a'i osod mewn arch, a honno ddwywaith y dyfnder arferol am fod haenen drwchus o galch brwd ar ei gwaelod. Gosodwyd haen arall dros y corff ac ar ôl gollwng yr arch i'r bedd, arllwyswyd dŵr dros y cyfan i gyflymu'r broses o waredu'r corff.

Gwrthododd y Crwner ddatgelu beth oedd y gwymp i Lewis ond deallwyd iddo gael cwymp o wyth troedfedd.

Drannoeth i'w grogi cyhoeddwyd llythyr yn y *Western Mail*. Dyma gyfieithiad ohono:

'Syr,
Gan fod nifer yn dweud fy mod i'n frawd i Joseph Lewis, llofrudd Margam, byddwn yn ddiolchgar pe byddech yn

cyhoeddi'r diarddeliad hwn, trwy gyfrwng eich papur, nad ydwyf yn frawd i Joseph Lewis, nac yn perthyn iddo mewn unrhyw ffordd.

Diolch i chi ymlaen llaw,

D.W. Lewis, 19 Stryd Brook, Williamstown, Cwm Rhondda.'

Robert Thomas McIntosh

Merch un ar bymtheg oed oedd Beryl Beechy, yr hynaf o bump o blant yn byw gyda'i rhieni yn rhif 64 Green Park, Aberafan. Gweithiai fel dosbarthwraig yn y *Mansel Tinplate Works yn Mhorth Talbot. Roedd hi'n aelod o'r Côr Dyass* lleol.

Tua 7.00 o'r gloch nos Wener, 3 Mehefin 1949, gadawodd ei chartref i fynd i'r pictiwrs gyda ffrind, Catherine Corrish a oedd yn byw yn yr un stryd. Ond heb yn wybod i Beryl, roedd Catherine wedi gwneud trefniadau eraill a hyd y gwyddai unrhyw un, bwriad Beryl oedd mynd i'r pictiwrs ar ei phen ei hun. Roedd hi'n benwythnos y Sulgwyn a'i thad, John Walter Beechy, wedi rhoi wats aur iddi fel anrheg dymhorol.

Gofynnodd ei mam i Beryl alw ar ei ffordd â neges i rif 21 Sgwâr Vivian, Aberafan, cartref Mr a Mrs McIntosh. Roedd tâl o chweugain yn ddyledus i Mrs McIntosh a rhoddodd ei mam yr arian i Beryl i'w roi iddi. Roedd y ddau deulu'n ffrindiau ac wedi byw yn yr un tŷ ar un adeg. Gwelwyd Beryl yn gadael y bws ar Sgwâr y Dref, Aberafan gan un Mrs Richards ac yna gwelodd y ferch yn cerdded i gyfeiriad Teras Vivian.

Ni ddychwelodd Beryl adref y noson honno. Ni welwyd hi'n fyw byth wedyn gan unrhyw un ond ei llofrudd. Am 6.00 o'r gloch fore trannoeth roedd Bert Gravelle, gyrrwr craen o rif 70 Stryd Llewellyn, ar ei ffordd i'r gwaith ar ei feic pan welodd gorff merch ifanc ar fanc y rheilffordd a redai rhwng Caerdydd ag Abertawe. Cafwyd mai corff Beryl oedd yno.

Roedd y fan lle daethpwyd o hyd i'r corff yn agos iawn i gartref Beryl. Gellid mynd o rif 64 Green Park i fanc y rheilffordd drwy'r farchnad agored yn ystod y dydd. Ond byddai'r farchnad ynghau yn ystod oriau'r nos ac felly yn gwahanu'r ddau le.

Dangosodd yr archwiliad *post mortem* a gynhaliwyd gan Dr A.F. Sladden fod Beryl wedi ei thagu. Roedd cortyn wedi'i glymu'n dynn ddwy waith o amgylch ei gwddf. Roedd y llofrudd wedi ymyrryd yn rhywiol arni, a hithau'n wyryf cyn yr ymosodiad. Roedd ei dillad wedi eu darnio. Roedd y rhain yn arwyddion sicr o drais.

Holwyd teulu McIntosh a chanfuwyd fod y mab, dyn sengl a gweithiwr dur 21 oed, Robert Thomas McIntosh, wedi bod gartref yn y tŷ y noson honno ar ei ben ei hun. Roedd ei rieni, ei chwaer a'i fodryb, a oedd hefyd yn byw yno, wedi mynd allan. Pan ddychwelodd ei fam roedd Robert wedi dweud wrthi fod Beryl Beechy wedi galw i roi'r chweugain iddo ac yna wedi gadael bron ar unwaith. Dywedodd yr un peth wrth yr heddlu, gan ychwanegu fod Beryl wedi gofyn am ei chwaer, June McIntosh. Archwiliodd yr heddlu'r tŷ a dod o hyd i olion gwaed o dan wely Robert a hefyd yn y gegin. Esboniodd McIntosh mai ei waed ef oedd o dan y gwely wedi iddo dorri bys ei droed. Dangosodd blastr ar ei droed. Pan archwiliwyd dillad Beryl, gwelwyd iddi fod mewn cysylltiad â wal y grisiau o fewn y tŷ.

Yn ddiweddarach newidiodd McIntosh ei ddatganiad. Dywedodd iddo ddod adref o'i waith yn y Gwaith Dur a gwneud ychydig o waith yn ei gartref. Ond cyn mynd ymhellach cyfeiriodd at ddigwyddiad yn ei gartref ddeufis yn gynharach pan gydiodd yn ei chwaer, June, a cheisio'i chusanu. Bygythiodd ei dad roi crasfa dda iddo am hynny, ond gan ei fod yn dioddef o draed tost cymerodd ei dad drueni arno gan ei rybuddio i beidio â mentro gwneud unrhyw beth tebyg eto. Aeth yn ei flaen i ddweud i rywbeth ddod drosto pan alwodd Beryl. Ni allai gofio'n iawn beth ddigwyddodd ond medrai gofio gweld y ferch â hanner ei chorff o dan y gwely. Y peth cyntaf a sylweddolodd oedd ei bod hi'n farw. Cariodd hi i lawr y grisiau, taenodd ei gôt drosti, ei chario hi allan o'r tŷ a'i thaflu dros y wal, lle cafwyd hi y bore wedyn.

Ychwanegodd iddo gael yr un teimlad pan gydiodd yn ei chwaer ddeufis cyn hynny. Aeth ymlaen i gyfaddef na fu byth yr un fath ar ôl treulio cyfnod gyda'r lluoedd arfog yn yr Aifft a Phalesteina.

Ymddangosodd McIntosh o flaen Mr Ustus Croom-Johnson ym Mrawdlys Abertawe fis Gorffennaf y flwyddyn honno. Vincent Lloyd Jones C.B. a Mr Campbell Rosser oedd yn erlyn, a Glyn Jones C.B. ac Alun Talfan Davies yn amddiffyn. Ni fu unrhyw ddadlau ynglŷn â ffeithiau'r achos ond dadleuwyd ar ran McIntosh mai at ddedfryd o ddynladdiad y dylai'r rheithgor gyfeirio'u meddyliau yn hytrach nag at lofruddiaeth. Dywedodd Glyn Jones fod y diffynnydd yn ddyn o gymeriad glân ond fod adeg wedi dod pan ddaeth chwant a blys y diafol i feddiannu calon y dyn ifanc.

Cyflwynodd ei dad, Maldwyn McIntosh, dystiolaeth ar ran ei fab. Dywedodd mai Robert oedd yr ail o bump o blant a disgrifiodd ef fel bachgen tawel a oedd yn ymddwyn yn dda ac yn un a oedd yn ofni Duw.

Daeth yr achos i ben ddydd Mercher, 13 Gorffennaf. Dyfarniad y rheithgor oedd 'euog', a dedfrydwyd McIntosh i'w grogi. Methiant fu ymdrech ei gyfreithiwr, K.S. Wherle, Porth Talbot, i newid y ddedfryd i un o garchar am oes. Dyma gyfieithiad o lythyr is-ysgrifennydd yr Ysgrifennydd Cartref, Mr Chuter Ede, dyddiedig 2 Awst:

'Parthed eich llythyr dyddiedig 18 Gorffennaf, 1949 a'ch ymweliad â'r Swyddfa Gartref ar 29 Gorffennaf, cyfeirir fi gan yr Ysgrifennydd Cartref i'ch hysbysu iddo roi ystyriaeth ofalus i'ch cynrychiolaeth ac i holl amgylchiadau'r achos, ac y mae'n datgan ei ofid iddo fethu â chanfod unrhyw resymau digonol i'w gyfiawnhau i gynghori Ei Fawrhydi i ymyrryd â chwrs priodol y gyfraith.'

Dienyddiwyd Robert Thomas McIntosh am 9.00 o'r gloch fore dydd Iau, 4 Awst 1949, yng Ngharchar Abertawe, a hynny gefn wrth gefn â Rex Harvey Jones, llofrudd Beatrice May Watts. Ceir hanes Jones yng nghyfrol gyntaf *Troseddau Hynod*. Hwn oedd y tro olaf i ddau gael eu crogi gyda'i gilydd yng Nghymru.

Dywedwyd i Maldwyn McIntosh sefyll y tu allan i furiau'r carchar yn ystod y dienyddio ac iddo gerdded ychydig bellter o borth y carchar wedi i ddatganiad y crogi gael ei osod ar yr hysbysfwrdd. Cerddodd ar hyd Heol Ystumllwynarth gyferbyn â'r fan lle y tybiai y câi ei fab ei gladdu o fewn y muriau. Arhosodd yno yn wynebu mur y carchar gan blygu ei ben.

Gulham a Salamante Mohammed

Pan symudodd Gulham Mohammed a'i wraig, Salamante, gyda'u mab Akhtar Ali o Bacistan i Brydain yn 1948, daethant â holl ddraddodiadau a moesau eu cenedl a'u crefydd gyda hwy. Priodwyd Gulham a Salamante pan oedd y ddau yn 19 oed, a hynny drwy briodas wedi'i threfnu.

Ymsefydlodd y teulu yn gyntaf yn Newcastle-upon-Tyne, a thair blynedd ar ôl cyrraedd ganwyd plentyn arall iddynt, Marjorie Ali. Yn 1955 symudodd y teulu i rif 42 Stryd Gwendoline, Porth Talbot lle bu Gulham yn gweithio fel labrwr gyda'r Gorfforaeth Ddur Brydeinig. Sefydlodd Salamante stondin yn y farchnad leol yn gwerthu gwahanol nwyddau. Âi'r ddau blentyn i Ysgol Glanafan.

Yn 1955 symudodd y teulu eto, i Glasgow. Prynodd y tad siop groser yn Airdrie yn enw Akhtar. Methiant fu'r fenter ond daeth y teulu o Bacistan yn ffrindiau gyda Joan McLean, a oedd wedi gwahanu oddi wrth ei gŵr, a'i merch Maureen. Gweithiai Joan mewn siop gŵr arall o Bacistan, Abdul Sttar.

Datblygodd perthynas rhwng Akhtar a Joan ac aeth y ddau i fyw gyda'i gilydd. Cythruddwyd Gulham a Salamante. Yn un peth roedd Joan yn fenyw wen a oedd wedi bod yn briod. Ar ben hynny roedd priodas eisoes wedi'i threfnu rhwng Akhtar a merch ym Mhacistan.

122

Symudodd Joan a'i merch o Glasgow ac ar yr un pryd gadawodd Akhtar. Ymsefydlodd y ddau yn Rhos Cottage, rhif 367 Heol Aberhonddu, Ystradgynlais lle cafodd Akhtar swydd fel clerc gyda chwmni *Broome and Wade* yn Ystalyfera. Cafodd Joan hithau waith yn pacio sanau i gwmni *Breconshire Hosiery*. Gofalai cymdoges, Annie Mary Roberts, am y plentyn tra byddai'r ddau yn gweithio.

Ddechrau 1970 teithiodd Gulham a Salamante i Borth Talbot gyda'u merch at eu cefndryd, Ishrad a Hamida Ali. Buan y daethant i wybod ymhle y trigai eu mab. Tua 9.50 nos Sadwrn, 4 Gorffennaf, galwyd ar y Cwnstabl Arthur Perkins, Abercrâf i ymchwilio i gythrwfwl yn Rhos Cottage. Dywedodd Joan mai achos y cynnwrf oedd rhieni ei chymar. Gymaint oedd ofn Joan fel iddi adael y ferch fach yng ngofal cymydog. Yn y cyfamser penderfynodd Marjorie, chwaer Akhtar, fynd yn ôl i Glasgow mewn braw am iddi ddod i wybod am leoliad ei brawd cyn i'w rhieni wneud hynny, ond ei bod wedi dewis cadw'r gyfrinach.

Ddydd Llun, 13 Gorffennaf, aeth y tad a'r fam ag Akhtar yn ôl i Glasgow er mwyn gweld cyfreithiwr a threfnu gwerthiant y siop a brynwyd yno yn enw'r mab. Wedi dod nôl talodd Salamante nifer o ymweliadau â Joan yn Ystradgynlais.

Nos Lun, 20 Gorffennaf, cysgodd Salamante yn rhif 34 Stryd Dunraven. Y noson wedyn cysgodd yng nghartref Florence May Rosser yn rhif 45 Heol Beverley, Porth Talbot. Roedd hi'n ffrindiau â Gulham a Salamante a châi ei hadnabod fel *Queen of the Khyber Rifles*. Esboniad Salamante am ei hymweliad â'r ardal oedd ei bod hi'n chwilio am Marjorie. Ond, mewn gwirionedd, roedd hi yno ar berwyl arall.

Brynhawn dydd Mawrth fe drefnodd Gulham a Salamante i rentu dwy stafell yn rhif 92 Heol Ninian,

Caerdydd. Trannoeth aeth Joan McLean i'w gwaith fel arfer. Pan alwodd i gasglu ei merch oddi wrth yr ofalwraig, dywedodd wrth Mrs Roberts y byddai Salamante'n mynd â Maureen a hithau i Borth Talbot er mwyn rhoi ffrog newydd Indiaidd i'r ferch fach. Pan alwodd Akhtar adref gwelodd nodyn ar y silff ben tân oddi wrth Joan yn adrodd yr un stori. Aeth yn ôl i'w waith, ond pan ddychwelodd am 10.10 y noson honno doedd Joan a Maureen ddim yno. Ond roedd y nodyn wedi diflannu.

Pan ymwelodd Salamante â'i mab brynhawn dydd Iau, gwadodd unrhyw wybodaeth am Joan a Maureen. Aeth Akhtar at yr heddlu yng nghwmni Hamida Ali, Mrs Roberts a'i fam. Awgrymodd Akhtar wrth y Cwnstabl Byron Adams fod ei fam yn gwybod rhywbeth am ddiflaniad Joan a Maureen. Gwadu wnaeth Salamante.

Ar y dydd Gwener penderfynodd Akhtar gadw gwyliadwriaeth ar ei rieni. Sylwodd ar ei fam yn cario bag coch allan o gartref Florence May Rosser. Dilynodd hi yr holl ffordd i rif 92 Heol Ninian, Caerdydd. Yna gadawodd y fam a churodd Akhtar y drws. Fe'i agorwyd gan ei dad. Yno gwelodd y bag coch ac ynddo roedd anorac y ferch fach. Dychwelodd Salamante a bu'n frwydr rhwng Akhtar a'i rieni wrth iddo geisio eu hatal rhag llosgi'r anorac. Yna, y tu allan gwelodd bâr o esgidiau plentyn wedi eu cuddio y tu ôl i wal ffrynt yr ardd.

Ar alwad Akhtar ymwelodd y Cwnstabl Anthony Davies a'r Cwnstabl Alan Hood â rhif 92 Heol Ninian. Mynnai Salamante fod Joan a Maureen wedi mynd ar y trên i Glasgow a bod Joan bellach yn byw gyda dyn arall.

Dechreuodd gwybodaeth lifo i mewn. Holwyd Gulham a gwnaeth ddatganiad yn cyfaddef mai ef a laddodd Joan ar ddamwain. Dechreuodd y ferch fach grio ac fe'i tagwyd gan Salamante. Yna darniodd ei wraig gorff Joan cyn cuddio'r darnau yn y tŷ yn Heol Ninian mewn lle tân a oedd wedi ei gau i mewn. Dywedodd i Maureen gael ei chladdu mewn sment.

Gwnaeth Salamante ddatganiad cwbl wahanol. Hi oedd wedi tagu Joan a'r baban yn y car. Hi oedd wedi claddu corff y baban ac wedi darnio a chuddio corff Joan.

Canfuwyd corff Joan yn y lle tân fel y dywedwyd a'i horganau mewnol wedi eu claddu yn yr ardd. Canfuwyd corff y plentyn wedi ei gladdu mewn sment mewn bedd ger hen waith glo Aberbaiden rhwng Porthcawl ac Abercynffig.

Cyhuddwyd Gulham a Salamante gan y Ditectif Uwch Arolygydd Dai Morris o'r ddwy lofruddiaeth. Ond mynnai'r naill a'r llall lynu at eu datganiadau gwreiddiol. Ymddangosodd y ddau ym Mrawdlys Morgannwg yng Nghaerdydd ddydd Iau, 14 Ionawr 1971, gyda Mr Emlyn Hooson C.F. yn erlyn a Syr Alun Talfan Davies C.F. yn amddiffyn Salamante ac Aubrey Myerson C.F. yn amddiffyn Gulham.

Daeth yn amlwg fod Salamante am dderbyn yr holl fai. Taerai Gulham iddo fod yn Glasgow ar y pryd. Erbyn hyn roedd canlyniadau fforensig wedi dod i law. Ond roedd tystiolaeth amgylchol yn bwysig hefyd. Ac ar ôl 20 munud yn unig o drafod, cafwyd y ddau yn euog o'r ddwy lofruddiaeth. Fe'u carcharwyd am oes gydag argymhelliad gan y Barnwr, Mr Ustus Wein, na ddylent gael eu rhyddhau am o leiaf 15 mlynedd.

Roedd Akhtar, yn y cyfamser, wedi symud i fyw i Gaerdydd. Ychydig wedi'r llofruddiaethau fe'i canfuwyd yn gorwedd yn anymwybodol ar fedd ei gyn-gymar a'r plentyn wedi iddo gymryd gormod o dabledi. Yna, ddeuddydd wedi i'w rieni gael eu dedfrydu, ar fore dydd Sul, 31 Ionawr, cafwyd ei gorff yn hongian wrth gangen ar fynydd Baglan. Roedd wedi ei lindagu ei hun, yr un farwolaeth ag y dioddefodd Joan a Maureen o'i flaen, ond â'i ddwylo'i hun.

Mary Morgan

Ganwyd Mary Morgan ar 30 Mawrth 1788, yn Llowes, Sir Faesyfed, a phan oedd yn un ar bymtheng mlwydd oed gweithiai fel morwyn yng Nghastell Maesllwych ger Llanandras gyda Walter Wilkins a'i deulu. Ei chyflog oedd dwy bunt y flwyddyn, ond câi fwyd a llety yn ogystal.

Roedd Walter Wilkins yn Ynad Heddwch dros Sir Faesyfed ac yn gyn-Uchel Siryf. Ef hefyd oedd Aelod Seneddol Sir Faesyfed. Pan ddeuai'r barnwyr ar eu tro i glywed achosion o dor-cyfraith ac i weinyddu cyfiawnder yn y Sesiwn Fawr yn Sir Faesyfed, byddent bob amser yn ymweld â Chastell Maesllwych. Un o'r barnwyr hynny oedd yr Ustus George Hardinge, perthynas pell i deulu Wilkins.

Disgrifiwyd Mary Morgan fel merch brydferth, ddiymhongar, ddeallus a difrifol, ac er bod mab Walter Wilkins, a enwyd hefyd yn Walter, yn caru merch Iarll Henffordd ar y pryd, dywedwyd ei fod wedi ffoli ar Mary'r forwyn.

Yng ngwanwyn 1805 sylweddolodd Mary ei bod yn feichiog, ac nid oes sicrwydd hyd y dydd heddiw pwy oedd y tad. Rhoddai rhai pobl y bai ar un o weision Maesllwych, a dyna'r hyn oedd fwyaf tebygol o fod yn wir. Ond mynnai eraill ddweud mai Walter Wilkins iau oedd yn gyfrifol am ei chyflwr.

Gan ei bod yn ofni colli ei swydd yn y Castell, ni soniodd

Mary air am ei chyflwr wrth neb ond wrth un o'r gweision ac wrth Walter Wilkins iau. Cynigiodd y gwas ei helpu drwy ei chynghori i gymryd rhyw lysieuyn neilltuol a allai achosi erthyliad. Cynigiodd mab y Castell gynnal y plentyn ar yr amod ei bod hi'n cyhoeddi mai ef oedd y tad. Gwrthod wnaeth Mary. Ond cadwodd ei chyflwr yn gyfrinach oddi wrth y gweithwyr eraill yn y Castell. Roedd ffasiwn y gwisgoedd bryd hynny yn fodd i guddio'r ffaith ei bod hi'n feichiog, a llwyddodd i wneud hynny hyd nes geni'r plentyn.

Yn ystod oriau mân bore dydd Sul, 23 Medi 1804, roedd Mary yn sâl iawn, ond llwyddodd i godi a mynd at ei gwaith. Yn gynnar y prynhawn cynghorwyd hi i fynd i'w stafell wely i orffwys. Bu'n sâl drwy weddill y prynhawn.

Daeth yr amser i'r baban ddod i'r byd, ond magodd Mary ddigon o nerth i godi o'i gwely, ac nid yn unig i gloi drws y stafell ond hefyd i osod dodrefn yn erbyn y drws fel na allai neb ei agor. Roedd Mary'n amlwg wedi gwneud y penderfyniad i ladd y baban. Beth arall allai hi ei wneud? Ni allai gynnal ei phlentyn; byddai'n cael ei gadael heb waith a heb arian. Y dewis arall fyddai byw mewn tlodi a gwarth. Roedd ganddi gyllell boced a ddefnyddiai i ladd cywion ieir, a phan anwyd y baban, torrodd ei wddf ar unwaith nes iddo waedu i farwolaeth yn fuan iawn. Cuddiodd y corff ym matras y gwely.

Roedd merch arall, Mary Meredith, yn rhannu stafell wely â Mary. Y diwrnod hwn roedd hi wedi bod yn ymweld â pherthynas iddi a daeth yn ôl i Faesllwych y noson honno. Aeth i'w stafell wely a gwelodd fod rhywbeth o'i le gan fod y drws wedi'i gloi. Ceisiodd gael Mary Morgan i agor y drws ond dywedodd honno wrthi am fynd i ffwrdd gan ei bod am gysgu.

Daeth y morwynion eraill at ddrws yr ystafell, ac yn y

diwedd agorodd Mary'r drws a chanfuwyd y baban wedi marw. Tynnwyd sylw Walter Wilkins at y digwyddiad a hysbyswyd y Crwner, Hector Appleby Cooksey. Daeth aelodau o'r Uwch Reithgor i'r lle i weld y dystiolaeth a chaethiwyd Mary Morgan yng Ngharchar Llanandras. Dywedwyd iddi orfod talu cost ei chludiant i'r carchar o'i chyflog ei hunan. Cadwyd hi yn y ddalfa hyd 11 Ebrill 1805, pan ddygwyd hi gerbron yr Ustus George Hardinge yn Sesiwn Fawr Llanandras. Y deuddeg aelod o'r Rheithgor Uwch oedd boneddigion y Sir, yn cynnwys Walter Wilkins, Sgweier Maesllwych.

Nid oedd trosedd honedig Mary Morgan yn un anghyffredin. Roedd nifer fawr iawn o ferched yn geni plant gordderch ac yn lladd eu babanod yn y cyfnod hwn gan gymaint y gwarth a'r gofid a ddeuai arnynt. Ac yn rhyfedd iawn, er bod y ffeithiau'n glir mewn amryw o achosion, hynny yw, y dystiolaeth o lofruddio yn un gref, cael eu profi'n euog o gelu genedigaeth a gawsai'r rhan fwyaf o'r merched. Dwy flynedd o garchar fuasai'r gosb fwyaf am hynny. Mewn gwirionedd, ni fu yna ddedfryd o lofruddiaeth yn Llys yr Old Bailey yn y math yma o achosion yn yr ugain mlynedd cyn achos Mary Morgan.

Wrth grynhoi'r dystiolaeth cyfeiriodd y Barnwr at achos tebyg iawn i achos Mary Morgan, mewn Llys yn Aberhonddu yr wythnos cynt lle'r oedd ef yn eistedd fel Barnwr. Cafodd y ferch honno ei rhyddhau, meddai. Felly, teimlai Mary yn ffyddiog mai dwy flynedd o garchar fuasai ei ffawd. Ond er ymdrechion ei thwrne, er ei araith odidog ef a hefyd anerchiad y Barnwr i'r rheithgor, dychwelodd y rheithwyr yn fuan iawn ddedfryd o 'euog o lofruddiaeth'.

Dedfrydwyd Mary Morgan i farwolaeth a hynny, yn ôl gorchymyn y Barnwr, ddeuddydd yn ddiweddarach, 13 Ebrill 1805. Yn ôl yr arfer yr adeg honno, yn unol â Deddf

Llofruddio 1751, gorchmynnwyd i'w chorff gael ei ddifynio, sef ei ddarnio. Ar fore'r dienyddio, aeth Rheithor Llanandras, y Parchedig John Harley, i weld Mary am y tro olaf a'i chynghori i gael cymundeb. Mynegodd hi ei siom gan iddi gredu y buasai Walter Wilkins iau yn sicr wedi rhoi cymorth iddi.

Aethpwyd â Mary Morgan mewn cert a cheffyl o'r carchar i'w chrogi'n gyhoeddus wrth goeden y tu allan i'r dref yn Gallows Lane. Yn haf 1805 daeth y Barnwr Hardinge ar ei daith unwaith eto i Ganolbarth Cymru ac er syndod iddo, cafodd wybod nad oedd corff Mary Morgan wedi ei ddifynio ond ei fod wedi ei gladdu yng ngardd y Rheithor, a'i bobl leol wedi cyfrannu at osod carreg ar y bedd. Ar y garreg torrwyd y geiriau:

'Er cof am Mary Morgan yr hon a ddioddefodd
Ebrill 13eg, 1805, yn ddwy ar bymtheg oed.
Yr hwn sydd ddibechod ohonoch, tafled
yn gyntaf garreg ati hi.'

Flynyddoedd yn ddiweddarach, ehangwyd Mynwent yr Eglwys i gynnwys y rhan honno o ardd y Rheithordy. Felly, mae hanes Mary Morgan yn unigryw iawn – cafodd ei chrogi am lofruddio, ond erbyn hyn mae hi'n gorwedd mewn daear gysegredig. Dywedwyd fod hyn wedi cael cryn effaith ar y Barnwr fel pe bai'n teimlo'n euog o ddedfrydu'r ferch i fynd i'w marwolaeth mewn ffordd mor erchyll. Dywedwyd hefyd iddo ymweld â bedd Mary Morgan bob tro y deuai i'r ardal ar ei ddyletswyddau ac iddo ysgrifennu barddoniaeth i gofio amdani.

Yng ngwanwyn 1816, ac yntau erbyn hyn wedi heneiddio a hefyd yn fregus ei iechyd, daeth ar ei dro unwaith eto i Lanandras. Ond y tro hwn oedd y tro olaf iddo ymweld â bedd Mary Morgan. Cymerwyd ef yn sâl yn ei lety yn Rheithordy Llanandras a bu farw yno rai dyddiau'n ddiweddarach.

David Morris

Ar fedd ym Mynwent Eglwys y Plwyf, Cydweli ceir un garreg fedd ac arni ffurf dagr wedi'i cherfio, carreg fedd dyn lleol a drywanwyd i farwolaeth.

Labrwr 27 oed oedd John Howells. Trigai gyda'i fam weddw, Hannah Hicks, yn Stryd yr Abaty, Cydweli. Cafodd ei eni cyn i'w fam briodi, ac wedi iddi briodi, collodd ei gŵr yn ifanc iawn. Yn 1884, gweithiai Howells yng Ngwaith Tun Cydweli ac ar ddydd Sadwrn, 10 Mai 1884, daeth adref o'i waith tua hanner dydd. Rhoddodd ei gyflog wythnosol i'w fam, ac ar ôl iddo fwyta'i ginio, aeth i balu gardd un o'i ffrindiau. Bu wrth y gwaith hwnnw hyd 6.00 o'r gloch, ac ymhen rhyw awr a hanner aeth i dafarn y *Plough* yng Nghydweli. Yfodd dri glased o gwrw ac arhosodd yno hyd tua 9.30 cyn troi am adref. Yn y dafarn roedd teiliwr lleol, Lewis Bunyan. Gofynnodd hwnnw i Howells ei hebrwng adref am fod arno ofn dyn o'r enw David Morris. Honnodd fod Morris wedi ei fygwth. Felly cerddodd John Howells a Lewis Bunyan allan o'r dafarn yng nghwmni ei gilydd.

Yn wir, wrth fynd ar hyd Stryd Alstred, lle trigai Morris, cyfarfu'r ddau ag ef. Labrwr 50 oed oedd David Morris. Ni fu gair croes rhyngddo a Bunyan, ond dechreuodd cweryl rhwng Morris a John Howells ar unwaith. Cyhuddodd Howells David Morris o siarad yn ei gefn ac aeth yn ymladd rhyngddynt. Daeth nifer o gymdogion allan o'u tai i weld y cythrwfl. Yn sydyn, teimlodd Howells ei fod wedi ei drywanu yn ei fraich chwith o dan ei benelin. Rhedodd adre, gan weiddi ar ei fam, a oedd yn digwydd bod yn siop William Gower y cigydd, fod Morris wedi'i drywanu.

Yn ei gartref, clymwyd rhwymyn uwchben yr anaf i atal llif y gwaed, ond yn fuan iawn llewygodd Howells. Galwyd ar feddyg, Dr David Jones, Cydweli, ond erbyn hyn roedd y gwaed wedi peidio a Howells wedi ei adfer. Clymodd y meddyg rwymyn glân dros y toriad a dywedodd wrth fam Howells am ei alw ar unwaith pe dechreuai'r anaf waedu eto.

Roedd y Rhingyll John Jones, Cydweli wedi cael gwybod am y digwyddiad tra oedd ar ddyletswydd yn Stryd y Bont ac aeth ar unwaith i holi Morris, a oedd gyda'i fab, Henry. Esboniad David Morris oedd fod Bunyan wedi gofyn i John Howells roi crasfa i Morris. 'Ond,' meddai, 'mi wnes i yn eitha da yn ei erbyn tra oedd Bunyan yn watsho.'

Aeth y swyddog wedyn i weld John Howells, ac ar ôl clywed esboniad hwnnw o'r digwyddiad aeth i arestio Morris a'i gyhuddo o 'dorri a niweidio' Howells. Mewn ateb i'r cyhuddiad dywedodd, 'Wedes i wrth John Howells sawl gwaith, "Os na safi di 'nôl, mi gei di'r gyllell".'

Methwyd â dod o hyd i'r arf. Ond gwelodd y swyddog fod olion tywyll ar boced a llawes côt wen Morris. Erbyn trannoeth roedd braich Howells wedi chwyddo a'r llaw wedi troi'n borffor. Fe'i danfonwyd i Ysbyty Caerfyrddin. Gwaethygodd ei gyflwr a phenderfynwyd cymryd tystiolaeth ar lw oddi wrtho ddydd Mercher, 14 Mai, gan George Thomas yng ngŵydd Maer Caerfyrddin, J. Jenkin Jones. Erbyn hyn roedd Morris yn y ddalfa a chludwyd ef i glywed y dystiolaeth yng nghwmni ei gyfreithiwr, T. Walters. Ar ran yr erlyniad yno roedd W. Morgan Griffiths.

Cadarnhaodd Howells i Morris ei drywanu wedi i Henry, mab Morris, ei daro cyn iddo redeg adref a chael ei ymgeleddu. Ni chyfrifid y datganiad fel *dying declaration* oherwydd dyfodiad cyfraith newydd yn caniatáu tystiolaeth o'r fath gan rywun a oedd yn ddifrifol wael.

Gwaethygu'n gyflym wnaeth cyflwr Howells. Dioddefai o gload yr ên. Bu farw yng ngŵydd ei fam am 5.00 o'r gloch fore dydd Gwener. Dangosodd archwiliad *post mortem* fod toriad ddwy fodfedd o ddyfnder yn y fraich gyda'r ddwy brif wythïen a'r cyhyrau a'r nerfau wedi eu torri.

Yn y Cwest yng Nghaerfyrddin cafwyd tystiolaeth am yr ymosodiad a thystiodd Letitia Smith iddi weld yr ymrafael ac yn ddiweddarach aeth i gartref Morris a'i glywed yn dweud yn edifeiriol, 'O! Pam wnes i iwso'r gyllell?' Dychwelwyd dedfryd o ddynladdiad yn erbyn David Morris. Ond dadl Morris pan ailagorodd Llys yr Heddlu yng Nghydweli ddydd Llun, 19 Mai, oedd fod Bunyan a Howells wedi cytuno i roi crasfa iddo. Rhuthrodd Howells arno. Roedd gan Morris gyllell boced yn ei law, cododd ei fraich ac aeth y gyllell i fraich Howells.

Ceisiodd W. Morgan Griffiths, Caerfyrddin ar ran y Trysorlys ddadlau y dylai Morris wynebu cyhuddiad o lofruddiaeth. Er mai Howells oedd yr ymosodwr, roedd gan Morris arf angheuol yn ei feddiant. Er i gyfreithiwr Morris, T. Walters, Caerfyrddin ddadlau i'r gwrthwyneb, traddodwyd Morris i sefyll ei brawf ar gyhuddiad o lofruddiaeth.

Ymddangosodd ym Mrawdlys Caerfyrddin ddydd Mercher, 16 Gorffennaf, o flaen yr Anrhydeddus Ustus Syr James Fitzjames Stephen, Marchog. Un o'r enw Mr Dillwyn oedd yn erlyn ac Abel Thomas oedd yn amddiffyn. Galwodd hwnnw ar unwaith am leihad yn y cyhuddiad i un o ddynladdiad. Cytunodd yr erlyniad ar ôl clywed i Howells ruthro ar Morris a'r gyllell wedi mynd i'w fraich.

Wrth wrando ar y dystiolaeth doedd dim dadl nad Morris oedd wedi achosi marwolaeth Howells a dywedodd y Barnwr fod y carcharor yn ffodus iawn i wynebu cyhuddiad o ddynladdiad. Nid yn aml, meddai, y gwnâi'r erlyniad ddangos y fath gydymdeimlad a thynerwch tuag at garcharorion. Ar y llaw arall, meddai, roedd y carcharor wedi cael y fantais o wasanaeth bargyfreithiwr deallus a galluog a oedd wedi ei gynrychioli â chryn dipyn o fedrusrwydd.

Ni fu'r rheithgor yn hir cyn dychwelyd dedfryd o euog o ddynladdiad ond iddo gael ei gythruddo. Cytunodd y Barnwr yn llwyr, a chan fod Morris eisoes wedi treulio dau fis yng ngharchar, dedfrydodd ef i fis arall gyda llafur caled, sef cyfanswm o dri mis.

Claddwyd gweddillion John Howells ym Mynwent Eglwys y Plwyf, Cydweli. Ac o dan y ffurf dagr a gerfiwyd ar ei garreg fedd naddwyd pennill,

'Gorchfygodd fi ar y ffordd,
Fy nyddiau a fyrhaodd,
Fel blodyn daethum allan,
Ac ymaith fe a'm torrodd.'

William Murphy

Wedi iddo lofruddio'i gariad, sicrhaodd William Murphy ryw fath o le iddo'i hun fel troednodyn mewn hanes troseddol drwy fod yr olaf i'w grogi yng Ngharchar Caernarfon.

Cyfarfu Murphy, aelod o'r *Militia Force*, â Gwen Ellen Jones wedi iddi adael ei gŵr i fyw gyda'i thad, John Parry, yn rhif 21 Cae Star, Bethesda, Sir Gaernarfon. Roedd gan Gwen ddau o blant, Gwladys, 12 oed a oedd wedi'i mabwysiadu a mab, a oedd yn saith. Roedd William Murphy, Sais cadarn, cryf a chaled yn 49 mlwydd oed, 13 mlynedd yn hŷn na Gwen.

Gadawodd Murphy'r fyddin i weithio'n achlysurol yma ac acw, yn cynnwys Swydd Efrog. Ddechrau mis Tachwedd 1909 gadawodd Gwen dŷ ei thad ac aeth i fyw gyda dyn o'r enw Robert Jones yn rhif 51 Stryd y Pobydd, Caergybi gan fynd â'i mab gyda hi. Aeth Gwladys i fyw gyda'i thaid ym Methesda.

Dychwelodd Murphy o Loegr a holodd hynt Gwen wrth ei thad. Ni chredodd esboniad hwnnw i'w ferch fynd yn ôl at ei gŵr, felly aeth i chwilio amdani gan fygwth wrth ei thad y byddai'n ei lladd hi pe deuai o hyd iddi gyda dyn arall. Daeth o hyd iddi mewn llety o eiddo Arthur Bedingfield ac aeth i letya yn yr un stryd â hi, rhif 40 Stryd y Pobydd, gan rannu stafell gyda dyn o'r enw John Griffiths.

Ddydd Llun, 20 Rhagfyr 1909, aeth Murphy i gartref Robert Jones i geisio cymell Gwen, yn aflwyddiannus, i ddod yn ôl ato. Dangosodd Murphy gyllell iddi a darn o raff gan fygwth y byddai'n defnyddio'r naill neu'r llall arni.

Ddydd Nadolig aeth Gwen allan am 6.00 y nos gyda ffrind, Lizzie Jones, gan fynd yn gyntaf i Orsaf y Rheilffordd ac yna i dafarn arall cyn iddynt weld Murphy yn nhafarn y *Bardsey Island*. Roedd Murphy yng nghwmni cyd-letywr, John Jones. Tua 9.00, cododd Murphy gan ddweud wrth Gwen ei fod am gael sgwrs gyfrinachol â hi. Cytunodd Gwen gan ddweud wrth Lizzie y deuai'n ôl ymhen hanner awr. Diflannodd y ddau i gyfeiriad y traeth.

Pan ddychwelodd Murphy i'w lety, dechreuodd werthu ei eiddo, yn cynnwys ychydig o fwyd am ddwy geiniog a'i gôt fawr am dair ceiniog. Yna galwodd yn rhif 51 Stryd y Popty lle gwelwyd ef gan Lizzie Jones â gwaed ar ei wyneb a'i ddwylo. Pan ofynnwyd iddo ble'r oedd Gwen, atebodd, 'Rwyf wedi ei gweld am y tro olaf. Mae hi'n iawn.' Dechreuodd plentyn bach Gwen grio. Rhoddodd Murphy geiniog iddo a dweud nad oedd ganddo fam mwyach. Cyfaddefodd wrth John Jones iddo wneud rhywbeth a'i fod am alw'r heddlu ac aeth â Jones allan drwy gae y tu cefn i'r tŷ ac ymlaen i Walthew Avenue. Yno, yn gorwedd mewn cwter, roedd corff Gwen. Rhedodd Jones am Swyddfa'r Heddlu gyda Murphy'n dynn ar ei sodlau. Yno cyfaddefodd iddo ladd Gwen drwy dorri ei gwddf.

Cadwyd Murphy yn y ddalfa a'i gyfweld gan yr Uwch Arolygydd Robert Humphrey Prothero. Dywedodd iddo dagu Gwen. Yna roedd wedi gosod ei phen ar ei ben-glin a thorri ei gwddf. Gwnaeth ddatganiad manylach yn dweud i Gwen, a oedd yn feddw, sôn ei bod hi am ddychwelyd drannoeth i Fethesda. Ger cartref Capten Tanner roedd hi wedi awgrymu iddynt gael cyfathrach cyn ffarwelio. Yn ystod y weithred roedd wedi ceisio ei llindagu. Yna tynnodd ei gyllell allan, torrodd ei gwddf a'i llusgo i'r gwter. Roedd hi'n dal yn fyw felly gwthiodd ei phen o dan y dŵr a'i boddi.

Cyhuddwyd ef yn ffurfiol o lofruddio Gwen Ellen Jones. Yn y Cwest, a gynhaliwyd gan Grwner Sir Fôn, Mr Jones Roberts, ddydd Mawrth, 28 Rhagfyr, dychwelwyd dedfryd o lofruddiaeth yn erbyn Murphy. Trannoeth claddwyd Gwen ym Mynwent Maeshyfryd o dan arweiniad y Parch. D. Powell Richards. Unig berthynas Gwen yn yr angladd oedd ei thad.

Ymddangosodd Murphy o flaen yr Ustus Syr William Pickford ym Mrawdlys Sir Fôn yn llys hynafol Diwmares, a oedd yn dyddio'n ôl i 1614. Roedd gwellt wedi'i daenu ar y llawr cerrig ond crëwyd cymaint o siffrwd gan y dyrfa fel i'r llys gael ei wacáu. Gymaint oedd y dorf fel i tua 15 o ddynion sefyll ar sil un o'r ffenestri. Hwn oedd yr achos cyntaf o lofruddiaeth i'w gynnal yno er 1862 pan gafwyd Richard Rowland, 45 mlwydd oed, ei brofi'n euog o lofruddio'i dad-yng-nghyfraith yn Llanfaethlu. J. Ellis Griffith A.S. oedd yn erlyn gyda Trevor F. Lloyd yn ei gynorthwyo. Doedd gan Murphy ddim twrne, felly dewiswyd Austin Jones i'w gynrychioli.

Penderfynodd y Rheithgor Mawr, yn cynnwys yr Uchel Siryf Henry Rees Davies H.C. ynghyd â'r Is-Siryf, Assheton Smith a'r Parch. Owen Lloyd Williams, Llanrhyddlan (Caplan) fod achos i'w brofi. Cynghorodd y Barnwr y gwragedd i adael y llys gan fod yna erchylltra i'w glywed.

Gwrthodwyd cais John Parry i dystio yn Gymraeg. Os oedd Saesneg Parry yn ddigon da pan yn siarad â Murphy, yna roedd yn ddigon da i'r llys, meddai'r Barnwr. Tystiodd i Murphy fygwth lladd Gwen chwe wythnos cyn iddo wneud hynny. Cadarnhawyd hyn gan blentyn mabwysiedig

Gwen, Gwladys Jones. Ac yma cafwyd nodyn o onestrwydd merch ifanc. Gofynnodd Austin Jones iddi,

'Ydi eich taid wedi siarad â chi am yr achos hwn?'
'Dim ond dweud wrthyf am ddweud y gwir.'

Galwyd ar gyfanswm o 18 o dystion, yn cynnwys Dr Thomas William Clay a ddywedodd fod yr anaf i wddf Gwen yn bum modfedd o hyd a thair modfedd o led ac yn ymestyn i lawr i'r madruddyn nes ymron i'r pen gael ei wahanu oddi wrth yr ysgwyddau.

Dywedodd nifer o dystion iddynt weld Murphy'n taro Gwen ac yn bygwth ei lladd. Doedd dim amheuaeth i Murphy ladd Gwen Jones. Ond mynnodd Austin Jones nad oedd y diffynnydd yn ei iawn bwyll ar y pryd. Byddai rhywun yn ei iawn bwyll wedi ceisio cuddio'r drosedd. Ond wedi tair munud yn unig o drafod, cafodd y rheithgor fod Murphy'n euog o lofruddiaeth ac iddo fod yn ei iawn bwyll wrth wneud hynny.

Ni chafwyd apêl gan Murphy ond llofnodwyd deiseb gan weinidogion, cynghorwyr ac athrawon yn galw am atal y dienyddio. Ond yn ofer. Pan glywodd Murphy y câi ei grogi, mynnodd mai'r cyntaf i'w groesawu 'yr ochr draw' fyddai Gwen.

Am 8.00 o'r gloch fore dydd Mawrth, 15 Chwefror 1910, cyrchwyd Murphy o'i gell gan y crogwr, Henry Pierrepoint a'i gynorthwywr, William Willis. Ni ddangosodd unrhyw emosiwn ar ei ffordd i'r crocbren. Ymddangosai'n ddidaro a cherddodd tua'i dranc fel sowldiwr. Canwyd clychau eglwysi Llanbeblig a'r Santes Fair yn fuan wedi 8.00 o'r gloch a chladdwyd corff Murphy ger Porth-yr-Aur ger man y dienyddio.

Felly yr aeth William Murphy i'w ebargofiant gan fynnu rhyw gornel fach mewn hanes troseddol. Ond ni ŵyr neb a groesawyd ef ar yr ochr draw gan Gwen Ellen Jones.

Henry Phillips

Disgrifiwyd Henry Phillips gan aelod o'r wasg ychydig cyn ei grogi fel un o gorffolaeth wan, yn denau ac yn or-ysgafn. Ond bu'n ddigon trwm i gymryd y cwymp a'i lladdodd ar derfyn rhaff yng Ngharchar Abertawe wedi iddo lofruddio'i wraig yn y dull mwyaf bwystfilaidd.

Gwas fferm oedd Phillips yn Lake Farm, cartref Andrew Thomas ar Benrhyn Gŵyr. Yn frodor o'r ardal, priododd yn 1898 pan yn 31 oed â Margaret Ace, a oedd bum mlynedd yn iau nag ef.

Erbyn 1911 roedd gan y ddau bedwar o blant, yr hynaf yn 13 oed a'r ieuengaf yn dair. Trodd y briodas yn un anhapus wedi i Henry droi at y botel a dechrau cam-drin ei wraig. Ar 13 Gorffennaf roedd Margaret wedi cael digon. Gadawodd hi a'r plant am gartref ei mam, Ann Ace, yn Frogmore Lane yn Knelston gerllaw. Penderfynodd erlyn ei gŵr am greulondeb parhaus, ac ar 22 Gorffennaf cyflwynodd y Rhingyll David Davies, Reynoldstown wŷs iddo ymddangos mewn llys barn fis yn ddiweddarach.

Ymhen pythefnos symudodd Margaret i fwthyn arall tua 400 llath o gartref ei mam lle cafodd ddwy ystafell. Ychydig wedi 6.30 ar fore dydd Mercher, 26 Gorffennaf, galwodd Margaret yng nghartref ei mam yn cario dwy stên. Aeth i Ffynnon Scurlock tua 600 llath o'r tŷ i nôl dŵr, ac ar ei ffordd yn ôl pasiodd ei chwaer (Ann arall), a oedd ar ei ffordd i'r ffynnon. Pan ddychwelodd Ann clywodd ei chwaer yn gweiddi, 'Harri! Harri!'

Galwodd Ann ar ei mam, ac ar y lôn gwelsant Henry'n penlinio uwchben ei wraig, yn dal ei phen ag un llaw ac yn tynnu rhywbeth ar draws ei gwddf â'r llaw arall. Ysgyrnygodd ar Margaret gan ddweud, 'Treia ddod mas o hynna, y diawl.' Yna rhedodd i mewn i gae. Gwelwyd ef gan un o letywyr y tŷ, Thomas Casement, a rhedodd hwnnw ar ei ôl. Ond safodd Phillips a bygwth ei saethu. Ofnai Casement fod ganddo ddryll a throdd yn ôl i estyn cymorth i Margaret. Llwyddodd honno i godi. Roedd archoll ddofn yn ei gwddf ac ni fedrai siarad. Syrthiodd yn anymwybodol.

Cludwyd Margaret i Ysbyty Abertawe ond nid oedd unrhyw beth y gallai'r meddyg, Dr Charles, ei wneud iddi. Bu farw'n gynnar y prynhawn hwnnw. Achos y farwolaeth oedd 'sioc a cholli gwaed'.

Gwelwyd Henry Phillips tua 6.45 y bore hwnnw gan Francis George Clements, gwas bach yn Lake Farm, yn dod i'w gyfarfod. Sylwodd ei fod yn dawel iawn. Ateb Phillips i'w gyfarchiad oedd, 'Rwyf wedi hofio fy rhych olaf. Cer lawr i ddweud wrth Andrew fy mod i wedi torri gwddw Maggie.' Yna cerddodd i gyfeiriad ei gartref.

Y tro nesaf y'i gwelwyd oedd tua 8.30 gan dafarnwr yn Llangennith, John Thomas. Yn y dafarn, yfodd beint o gwrw a phrynodd bedair potel i fynd allan. Dywedodd wrth Thomas ei fod 'wedi ei gwneud hi'. Aeth ymlaen i ddweud iddo ladd Margaret. Wrth i Thomas nesáu ato gwelodd waed ar ei ddillad. Ond bygythiwyd ef gan Phillips. 'Sa 'nôl,' meddai, 'mae'r peth ddefnyddiais i'w lladd yn fy mhoced i. Mae dau ddyn ar fy ôl i, ac os cyffyrddant â fi, mi rof yr un peth iddynt hwythau. Rwy'n flin iawn am y plant, a nawr rwy'n mynd i roi pen ar fy mywyd.'

Aeth y Rhingyll Davies a'r Cwnstabl Richard Gammon i chwilio am Phillips a daethant o hyd iddo'n cysgu mewn cae llafur gyda rasel llafn hir waedlyd wrth ei ymyl. Arestiwyd ef. Gofynnodd Phillips, 'Ydi 'ngwraig i'n farw? Fe ddwedais i y gwnawn i, ac rwyf wedi gwneud.' Canfuwyd rasel arall yn ei boced ac wrth iddo gael ei ddwyn i'r ddalfa dywedodd, 'Fe wnes i hyn er mwyn fy meibion.'

Ar ôl ymddangos mewn Llys Ynadon yn hen wyrcws Penmaen ddydd Gwener, 10 Tachwedd, ymddangosodd eto ym Mrawdlys Morgannwg yng Nghaerdydd gyda Clement Edwards A.S. yn erlyn ac S.R. Jenkins yn amddiffyn. Mynnai Phillips na fedrai gofio gweld ei wraig ar y diwrnod y'i lladdwyd na chofio dim byd rhwng y dydd Llun a'r dydd Mercher. Dywedodd iddo deimlo'n isel iawn wedi i'w wraig adael a heb neb i wneud bwyd iddo. Crwydrai o gwmpas y lle a chysgai ym môn clawdd. Tystiodd ei fod yn caru ei wraig. Nid oedd yn arferiad ganddo gario rasel yn ei boced, meddai, ac ni allai gofio gosod un yno.

Doedd dim dadl i Phillips ladd ei wraig. Bwriad yr amddiffyniad oedd profi nad oedd Phillips yn ei iawn bwyll pan gyflawnodd y weithred a'i fod, felly, yn euog o ddynladdiad yn hytrach na llofruddiaeth. Cafwyd tystiolaeth gan dri meddyg. Mynnodd y cyntaf, Dr Richard Pritchard, fod gofid, alcoholiaeth a straen meddyliol yn tueddu i arwain at wallgofrwydd. Ym marn yr ail, Dr W.L. Griffiths, nid oedd Phillips yn ei iawn bwyll pan gyflawnodd y drosedd. Ond dywedodd meddyg swyddogol Carchar Abertawe, a oedd wedi archwilio Phillips yno, na chanfu unrhyw dystiolaeth o wallgofrwydd.

Wrth grynhoi dywedodd y Barnwr y gallai rhywun fod yn wallgof ond eto, o fewn y gyfraith, yn gyfrifol am ei weithredoedd. Honnai Phillips na fedrai gofio, eto i gyd roedd wedi cyfaddef ei weithred wrth yr heddlu, wrth dafarnwr Llangennith ac wrth y llanc o was. Tua phedair awr a hanner oedd hyd yr achos, a deng munud yn unig y bu'r rheithgor cyn dychwelyd dedfryd o 'euog'. Gosododd y Barnwr ei gap du ar ei berwig a chyhoeddi, 'Nid fy nghosb i yw yr un yr wyf yn awr yn ei gweinyddu, ond cosb y gyfraith, un nad oes dewis gyda mi.' Wrth i'r Caplan ddweud 'Amen', llewygodd chwaer i Phillips a chariwyd hi allan gan ddau frawd.

Apeliodd Phillips yn aflwyddiannus a chrogwyd ef yng Ngharchar Abertawe ddydd Iau, 14 Rhagfyr 1911. Y crogwr oedd John Ellis, gyda William Willis yn ei gynorthwyo. Yn bresennol roedd Caplan y Carchar, y Parch. J.H. Watkin Jones, Dr John Evans, tad meddyg y Carchar, Trevor Evans am fod hwnnw'n sâl, Rheolwr y Carchar, F.W. Gibbon ac aelodau o'r wasg. Bu raid i Phillips gerdded y deugain llath o'r gell i'r crocbren.

Wedi i Phillips ddisgyn i'r pydew, safodd y Caplan gan godi ei law uwchben y corff a dweud, 'Boed i enaid yr ymadawedig ffyddlon orffwys mewn hedd.' Yna trodd at y rhai a oedd yn bresennol i'w harwain drwy Weddi'r Arglwydd.

Ymhlith y dorf a oedd wedi ymgasglu y tu allan i ddrysau'r carchar roedd un o frodyr Henry Phillips. Edrychai'n llwydaidd a thrist wrth i'w frawd ddisgwyl y diwedd.

David Rees

Roedd y rhaff a ddefnyddiwyd i grogi David Rees yn 1888 nid yn unig yn un ail-law ond yn drydydd-llaw. Roedd hi eisoes wedi ei defnyddio i grogi Cadwaladr Jones flwyddyn yn gynharach yng Ngharchar Dolgellau ac i grogi Dr Phillip Cross yn Nulyn yr un flwyddyn.

Trosedd David Rees oedd llofruddio Thomas Davies, gŵr priod 37 mlwydd oed. Ac yntau'n byw yn Felinfoel, roedd Thomas Davies yn briod gyda dau o blant, un yn saith oed a'r llall yn bymtheg mis. Negeseuydd oedd Davies, dyn gwan o ran corff a adweinid fel Twm Bach. Ers deuddeg mlynedd bu'n casglu llythyron a'u cludo i Waith Alcam Dafen. Bob bore dydd Sadwrn casglai hefyd gyflog y gweithlu o fanc y *London and Provincial* yn Llanelli. Âi ei daith ag ef drwy gaeau ac ar hyd llwybrau cyhoeddus, ac yn ystod ei orchwyl bob bore Sadwrn byddai'n mynd i'r Swyddfa Bost i nôl y llythyron tra byddai bachgen o'r gwaith, Charles William Jones, yn mynd i gyffiniau Wyrcws Llanelli yn cario bag arian. Yno byddai Davies yn cyfarfod â'r bachgen a'r ddau yn cyfnewid y llythyron am y bag gwag. Yna fe âi Jones â'r llythyron yn ôl i'r gwaith tra oedd Davies yn mynd â'r bag i'r banc i nôl yr arian cyflogau. Wedyn byddai'r bachgen yn dod 'nôl i gwrdd â Davies y tu allan i'r Wyrcws, adeilad a fu hyd yn ddiweddar yn gartref i Ysbyty Bryntirion.

Roedd y digwyddiad yn ddefod nad oedd mewn unrhyw ffordd yn gyfrinachol, a phawb yn adnabod Davies. A'r un oedd y drefn ddydd Sadwrn, 12 Tachwedd 1887. Casglodd Davies gyfanswm o £590 o'r banc, yn cynnwys £465 mewn sofrod, £70 mewn hanner sofrod a £55 mewn arian.

Gwelwyd Davies yn ystod ei daith yn ôl gan nifer o dystion. Ond gwelwyd hefyd un arall, David Rees, gŵr sengl dwy ar hugain oed. Roedd Rees a Davies yn adnabod ei gilydd yn dda wedi i Rees fod yn gweithio yng Ngwaith Dafen cyn symud i Waith Spitty, Bynea. Yn wir, roedd brawd Davies yn byw y drws nesaf i David Rees a'i rieni.

Bu Charles William Jones yn disgwyl yn ofer am Davies am hanner awr ger clwydi bychain Mynwent y Bocs. Yna gwelodd ddyn yn dod o gyfeiriad Capel Isaf. Gofynnodd hwnnw i'r llanc a oedd y dyn yn y cae yn fyw neu'n farw. Cwestiwn rhyfedd. O edrych i'r cae gwelodd y llanc Thomas Davies yn gorwedd yr ochr arall i'r clawdd. Roedd gwaed ar ei wyneb. Cyrhaeddodd un a ddisgrifiwyd fel *student teacher*, Charles J. Randell, a gwelodd hwnnw fod Davies wedi dioddef ymosodiad ffyrnig. Yna cyrhaeddodd William Thomas a Charles Jeffreys. Aethpwyd â Davies i'r ysbyty ar ystyllen lydan, wedi ei orchuddio â siôl a fenthycwyd o fferm Bryngwyn gerllaw.

Canfuwyd y bag lledr gerllaw ac o'r £590 roedd £535 mewn aur wedi'i ddwyn. Roedd dau dyst wedi gweld Rees a Davies gyda'i gilydd yn y cyffiniau ac roedd dau fachgen a oedd yn chwarae gerllaw, David Samuel John a Samuel Thomas o Deras y Gogledd, wedi gweld Rees yn edrych trwy fwlch yn y clawdd. Gofynnodd iddynt a oeddent wedi gweld Charles William Jones. Yna gyrrodd Rees y ddau blentyn i ffwrdd.

Ond yn bwysicach fyth canfuwyd plentyn arall a oedd

yn llygad-dyst i'r ymosodiad. Roedd William John Lewis o Stryd y Dŵr, bachgen ysgol deg oed o Safon 3 yn y *Board School*, wedi mynd i Fynwent y Bocs i gasglu dail dant-y-llew ar gyfer cwningod dof ac yna i'r wyrcws i gasglu cyflog ei dad-cu. Gwelodd Rees yn cerdded yn y cae a dyn arall y tu ôl iddo. Yna gwelodd Thomas Davies a chlywodd un o'r dynion yn chwibanu'n isel. Wrth i'r tri gyrraedd y clwydi, ymosododd y ddau arall ar Davies. Gwaeddodd Davies 'Mwrdwr!' dair gwaith wrth i'r ddau geisio dwyn y bag. Taflwyd Davies i'r clawdd a ffodd Rees i gyfeiriad Dafen drwy fferm Bryngwyn tra oedd y llall yn rhedeg i gyfeiriad Capel Isaf.

Yn ddiweddarach roedd y bachgen wedi gweld y dyn oedd gyda Rees ger yr *Half Way*. Rhedodd y bachgen i dŷ ei fam-gu gyda'i stori, ond unig ymateb honno, Mary Lewis, oedd 'Hisht!' Cofiodd y bachgen wedyn iddo weld Rees yn yr un cyffiniau ddau ddydd Sadwrn cyn y digwyddiad. Yn y cyfamser bu farw Thomas Davies yn yr ysbyty yng ngŵydd ei frawd, William George Davies. Yn dilyn archwiliad *post mortem* a gynhaliwyd gan Dr Evans, Heol Goring a Dr Samuel, achos y farwolaeth oedd anafiadau difrifol, sioc a phwysedd ar yr ymennydd.

Canfuwyd i'r anafiadau gael eu hachosi gan *hanger*, offeryn tebyg i gyllell fwtsiwr a ddefnyddid yng Ngwaith Dafen i agor platiau. Canfuwyd yr arf ac arno roedd y llythrennau 'M R' a'r geiriau *Tom Nice and Sweet*. Margaret Rees oedd biau'r arf a 'Tom' oedd ei chariad. Roedd hi wedi gweld David Rees ar y dydd Gwener yn dod o gyfeiriad y stafell lle cedwid yr *hangers*.

Holwyd Rees yn ei gartref gan Capten Scott a'r Ditectif Ringyll Evans. Ar yr adeg dan sylw, meddai, roedd wedi bod mewn siop barbwr yn cael ei eillio. Gwadodd iddo fod yn agos i gyffiniau man yr ymosodiad. Canfuwyd hances boced waedlyd ym mhoced Rees ond esboniodd ei fam fod trwyn ei mab wedi bod yn gwaedu.

Cyhuddwyd Rees o lofruddiaeth. Ond gwadu iddo ymosod ar Thomas Davies, a hynny hyd yn oed o flaen tystion, a wnaeth Rees. Roedd mor hyderus fel iddo ddweud y byddai, pan gâi ei ryddhau, yn ymuno â Heddlu Bwrdeistref Caerdydd. Roedd wedi trefnu i briodi â Sara Ann Davies yng Nghapel Bethel wythnos wedi'r llofruddiaeth ac roedd y ddau wedi bwriadu ymfudo i America.

Yn dilyn y Cwest yn y *Stepney Arms*, cadwyd Rees yn y ddalfa a'i gludo i Garchar Caerfyrddin. Fore dydd Iau, 24 Tachwedd, yn Neuadd Athenaeum, Llanelli cynhaliwyd y Gwrandawiad Ynadol. Clywyd gan dafarnwraig Tafarn y Tŷ Melyn i Rees ddweud wrthi ei fod angen arian a bod arian bob amser gan Twm Bach. Honnodd pum tyst iddo ofyn am fenthyg arian. Fe'i traddodwyd i sefyll ei brawf ym Mrawdlys Caerfyrddin ddydd Mercher, 21 Chwefror 1888, o flaen yr Ustus Stephen. Yn gyntaf cadarnhaodd eisteddiad o'r *Grand Jury* fod yr achos i fynd yn ei flaen a galwyd ar i'r *Petty Jury* gymryd y llw. Pledio'n ddieuog wnaeth Rees. Yn erlyn dros y Goron roedd Arthur Lewis, mab Esgob Llandaf, a W.D. Benson, a Bowen Rowlands C.F., A.S. yn arwain yr amddiffyniad. Safodd y rheithgor dros nos yn y *Plough and Harrow*.

Denodd y gwrandawiad dorf enfawr, ac ar ôl i Rees gael ei brofi'n euog bu raid i olygydd y *Llanelly Guardian* argraffu 10,000 o gopïau yn ychwanegol. Crogwyd Rees yng Ngharchar Caerfyrddin fore dydd Mawrth, 13 Mawrth. Beichiodd wylo bob cam o'r 53 llath tua'r crocbren gan ddeisyf, 'O, Arglwydd trugarha wrthyf.' Roedd eisoes wedi cyfaddef ei euogrwydd mewn llythyr, gan ychwanegu mewn llythyr arall iddo ddefnyddio'r *hanger* a oedd yn rhan o'r dystiolaeth. Y crogwr oedd James Berry, a dywedwyd wrth y wasg na symudodd y corff yr un fodfedd wedi iddo ddisgyn.

Nid dyna ddiwedd y stori. Daeth mwy o anlwc i deulu Thomas Davies wedi i frawd iddo gael ei saethu'n farw drwy ddamwain gan giper. Ac am y bachgen bach a fu'n dyst i'r llofruddiaeth, gorfu iddo symud i fyw at ei fodryb am i'w dad edliw iddo fod yn gyfrifol am ddanfon dyn i'r crocbren. A beth am yr ail ddyn a welwyd gan y bachgen? Datgelwyd fod papur yn Abertawe wedi derbyn llythyr oddi wrth ddyn a oedd yn byw yn America yn cyfaddef iddo fod gyda David Rees pan gyflawnwyd y weithred.

Owen Thomas Richards

Cymhelliad mor hen â phechod ei hun fu'n gyfrifol am i
Gwendoline Jones o Langristiolus, Ynys Môn gael ei
llofruddio. Fe'i saethwyd hi gan ei chariad wedi iddi
ddatgelu wrtho ei bod hi'n feichiog.

Un o efeilliaid oedd Gwen. Ganwyd hi a'i chwaer,
Gwyneth, yn 1925. Bu farw eu mam pan oedd y ddwy yn
chwech oed, ac fe'u gadawyd yn gwbl amddifad pan fu
farw eu tad yn 1941, a hwythau'n 16 oed. Bu'r ddwy yn
gweithio gyda'i gilydd fel morwynion ar fferm Pencraig,
Llangefni nes i Gwyneth, adeg yr Ail Ryfel Byd, adael i
weithio mewn *NAAFI* yng ngwersyll milwrol Parc Kinmel,
Abergele.

Ar 1 Chwefror 1946, gadawodd Gwen ei gwaith ym
Mhencraig i gadw tŷ i John Williams, Penygroes, Trefdraeth,
gŵr sengl 40 oed a weithiai'n lleol fel gyrrwr tractor.
Dychwelodd Gwen i Bencraig ym mis Rhagfyr am fod John
Williams allan o waith ac yn methu fforddio talu cyflog
iddi. Erbyn hynny roedd hi'n feichiog. Ei chariad oedd
Owen Thomas Richards, 20 mlwydd oed, o rif 2 Tai Cyngor,
Rhos Trehwfa, un o weision fferm Bodwena, Gwalchmai.

Oherwydd ei chyflwr, fel yr âi'r amser heibio, cafodd
Gwen hi'n anodd i gyflawni ei gwaith ac ar ddiwedd mis
Mawrth 1947 dychwelodd i Benygroes lle'r oedd John

Williams wedi cynnig cartref iddi am ei bod hi'n amddifad. Yn y cyfamser, gwadai Owen Richards mai ef oedd yn gyfrifol am ei chyflwr. Ar y pedwerydd ar ddeg o'r mis danfonodd lythyr ati:

'Annwyl Gwen,
Dywedodd un dyn wrthyf rai pethau a wnaeth fy siglo. Fyddaf fi ddim yn dod lawr mwyach. Os wyt ti'n meddwl fy mod i yn mynd i gael rhywbeth i'w wneud â thi, alli di anghofio hynny. Rwyf bob amser yn meddwl yr hyn yr wyf yn ei ddeud. Dywed wrth dy chwaer nad y fi ydyw tad dy faban, ac ni ddeudais hynny erioed wrthyt mai fi ydoedd, do? Paid deud wrth unrhyw un arall neu mi fydd yn edifar gennyt.

'Rwyf mewn cariad â merch arall. Dyma ddiwedd fy ngyrfa hefo ti.'

Atebodd Gwen ef drwy lythyr:
'Nid wyf am gweryla, nid wyf yn teimlo fel gwneud. Paid anghofio, rwyf yn dy garu o hyd, ac fe garwn dy weld cyn mynd i'r *Valley* (ysbyty).
Dy gariad am byth,
Gwen XXXX'

Trefnodd y ddau, trwy lythyr arall oddi wrth Gwen, i gwrdd ddydd Sul, 18 Mai. Ychydig iawn o amser y bu'r ddau gyda'i gilydd ond trefnwyd i gwrdd eto ar y nos Fercher. Pan gyrhaeddodd John Williams ei gartref tua 10.30 y noson honno cafodd ei synnu nad oedd Gwen yno. Fore trannoeth aeth at yr heddlu.

Gwas arall ar ffarm Bodwena oedd Edward Griffiths. Rhannai stafell gydag Owen Richards. Ar noson diflaniad Gwen roedd Griffiths wedi bwriadu ymweld â'i gartref ac wedi gwahodd Richards i fynd gydag ef. Gwrthododd hwnnw gan ddweud ei fod am fynd am dro. Cerddodd y ddau gyda'i gilydd ran o'r ffordd gan wahanu yng Ngwalchmai. Gwelodd Griffiths ei ffrind yn mynd tuag at Gefn Cwmwd. Daeth y ddau adref i Fodwena yn hwyrach y noson honno a mynd i'w gwaith fel arfer fore trannoeth.

Tua 9.45 y bore hwnnw roedd William Richard Hughes, fferm Feiston, yn cerdded ei dir pan ganfu gorff menyw ar un o'r caeau tua 300 llath o Fethel ger ffordd gul yn arwain i Falltraeth. Cyrhaeddodd y Rhingyll William Jones, Bodorgan a galwyd ar feddyg. Wedi i John Williams adnabod y corff fel un Gwen Jones, galwyd ar y Patholegydd, Dr W.H. Grace o Gaer. Roedd Gwen wedi ei saethu yn ei phen â dryll a oedd wedi ei danio o fewn chwe modfedd iddi.

Tua 11.15 y noson cynt roedd John Roberts, mab fferm Gwna Fawr, Bodorgan, wedi clywed sŵn dwy ergyd o ddryll wrth iddo deithio ar ei feic o gyfeiriad Trefdraeth i Fethel, a'r sŵn hwnnw'n dod o gyfeiriad y cae lle canfuwyd y corff. Clywyd y sŵn hefyd gan ddau lanc, William Samuel Thomas, 16 oed, gwas Green Farm, Bodorgan ac Edward Jones, 17 oed o Dyddyn Valentine, Bodorgan wrth iddynt sefyll ar y ffordd rhwng Bethel a Chefn Cwmwd. Ychydig wedyn gwelsant Owen Thomas Richards yn mynd heibio ar ei feic i gyfeiriad Cefn Cwmwd. Cyfarchodd hwy gyda 'Nos da'.

Arestiwyd Richards gan yr Uwch Arolygydd G.W. Brown ym mhresenoldeb y Ditectif Ringyll Shaw yn fferm Bodwena ar ddrwgdybiaeth o lofruddio Gwen Jones. Gwadodd ar y dechrau, ond cyn hir cyfaddefodd iddo ei ladd gan ddweud fod Gwen yn feichiog a'i fod ef yn cael ei feio ar gam. Yna gwnaeth ddatganiad ysgrifenedig o dan rybudd. Cynhaliwyd yr holl gyfweliadau yn Gymraeg. Dyma'i ddatganiad:

'Roeddwn wedi peidio â chadw cwmni i Gwen ers tri mis, ac wedi hyn, pan glywais ei bod hi'n rhoi'r bai arnaf fi, euthum i'r lle'r oedd hi'n byw gyda dyn. Pan gwrddais â hi, gofynnais iddi a oedd hi'n siŵr mai fi oedd y tad. Gofynnais iddi a oedd hi'n barod i gael prawf gwaed, a gwrthododd hi. Roeddem ar y cae yn eistedd i lawr yn agos i fur am beth amser. Collais ychydig o fy nhymer a saethais hi, ond nid wyf yn cofio ymhle.'

Ond roedd y tystion wedi clywed dwy ergyd yn cael eu tanio, a hynny'n dynodi fod y dryll wedi ei ail-lwytho. Cyhuddwyd ef yn ffurfiol o lofruddio Gwendoline Jones ym Methel ger Bodorgan. Ddydd Iau, 19 Mehefin, traddodwyd ef o Lys Llangefni i sefyll ei brawf ym Mrawdlys Caernarfon.

Dydd Gwener, 17 Hydref 1947, oedd diwrnod y Brawdlys. Glyn Jones C.B. ac Elwyn Jones oedd yn erlyn, gydag Arthian Davies C.B. dan gyfarwyddyd Ronald Jones yn cynrychioli'r diffynnydd. Profwyd ef yn euog a dedfrydwyd ef i'w grogi. Ond newidiodd yr Ysgrifennydd Cartref y gosb i un o garchar am oes.

David Roberts

Anaml iawn, mewn achos o lofruddiaeth, y mae'r crogwr yn denu mwy o sylw'r wasg na'r un a ddedfrydwyd i'w grogi. Ond dyna a ddigwyddodd yn achos y llofrudd David Roberts, a grogwyd gan James Derry.

Mae'r stori'n cychwyn yn Nhreorci ddydd Gwener, 30 Hydref 1885, pan ymwelodd David Thomas â marchnad y dref. Prynwr a gwerthwr gwartheg 48 mlwydd oed oedd Thomas. Trigai yn fferm Stallcourt, Llanbleddian. Treuliodd rai blynyddoedd yn America a châi ei adnabod fel 'Ianci'. Teithiai i farchnadoedd y fro yn rheolaidd gan ddod yn adnabyddus dros ardal eang. Roedd ganddo feddwl craff ym myd anifeiliaid ac yn anaml iawn y câi ei dwyllo.

Ei wendid mawr oedd ei or-hoffter o'r ddiod feddwol, a gwelid ef yn aml yn llusgo'i hun adref drwy'r caeau o dafarnau'r Bont-faen at ei wraig a'u pedwar o blant. Wrth adael Marchnad Treorci cariai Thomas drigain punt, y cyfan mewn aur, yn ei boced. Galwodd am fwyd mewn tafarn yn y dref cyn cyrraedd y Bont-faen ar y trên tua 8.30. Ar ôl setlo hen gownt gyda chydnabod aeth y ddau i dafarn y *Duke of Wellington*. Yno cafodd Thomas fwy o ddiod, a gwnaeth hynny ef braidd yn dafodrydd. Dechreuodd frolio fod ganddo gymaint o arian fel y gallai'n hawdd fenthyca ugain neu ddeugain punt i unrhyw un.

Ymhlith y cwsmeriaid roedd gŵr ifanc 28 mlwydd oed,

David Roberts, cyn-filwr yn y *Royal Scottish Regiment*. Ond yn ôl y cofnodion, treuliodd hwnnw bump o'i saith mlynedd fel milwr mewn carchar milwrol cyn cael ei ddiswyddo. Ac yntau'n byw gyda'i dad, gweithiai'n achlysurol fel llifiwr coed ac fel adeiladydd. Roedd ei gartref o fewn 500 llath i fferm Stallcourt. Nid oedd yn boblogaidd iawn, a gwell gan bawb oedd ei le na'i gwmni.

Treuliodd David Thomas awr a hanner yng nghwmni ei nai, John Thomas a David Roberts, yn yfed a chwarae cardiau. Am 11.00 gadawodd y tri yng nghwmni Edward, tad Roberts. Roedd storm wedi codi a chwythai corwynt dros y caeau. Cafodd y criw hi'n anodd cadw ar eu traed, yn enwedig Edward Roberts, a oedd yn feddw iawn. Pan ddaethant i Felin y Dref croesodd David Thomas gamfa a cherddodd i gyfeiriad gwahanol i'w gartref tra cerddodd y lleill i gyfeiriad fferm Stallcourt.

Am 7.00 fore trannoeth daeth Benjamin Williams, ar ei ffordd i'w waith, ar draws corff tua 200 llath o'r fferm. Gymaint oedd yr anafiadau ar ei wyneb fel na fedrodd ei adnabod fel David Thomas. Gwelodd yr heddlu fod ei bocedi'n wag. Cludwyd ef ar ysgol i'w gartref gyda David Roberts a'i dad yn helpu i'w gario.

Arestiodd yr heddlu'r tri a welwyd ddiwethaf yng nghwmni Thomas, sef y tad a'r mab a John Thomas. Gwelwyd yn fuan fod hwnnw'n gwbl ddiniwed. Archwiliwyd cartref Roberts a'i dad, ac mewn cornel dywyll cafwyd hances boced waedlyd wedi'i lapio am £66 mewn aur, un sofren â thwll ynddi, yr un ffunud ag un a welwyd ym meddiant Thomas y noson cynt. Yn wyneb y dystiolaeth cyfaddefodd David Roberts iddo ef ac ef yn unig lofruddio David Thomas. Wedi cyrraedd gartref, yn ddiarwybod i'w dad, roedd David Roberts wedi mynd allan â phastwn i dop Rhiw Llanbleddian. Yno fe ymosododd ar Thomas gan ddwyn ei holl arian.

Er i'r mab gymryd y bai, traddodwyd ef a'i dad i sefyll eu prawf. Ymddangosodd y ddau ym Mrawdlys Morgannwg ddydd Mercher, 10 Chwefror 1886, o flaen y Prif Arglwydd Ustus Coleridge. Arthur Lewis oedd yn ymddangos ar ran y Goron gydag Abel Thomas, wedi ei gyfarwyddo gan Mr Belcher, yn amddiffyn Edward Roberts. Ni chynrychiolid y mab gan fargyfreithiwr. Plediodd y tad yn ddieuog ond y mab yn euog.

Penderfynodd y Barnwr fod y dystiolaeth yn erbyn y tad yn rhy wan a dychwelwyd dedfryd ffurfiol o 'ddieuog' yn ei achos ef. Dedfrydwyd y mab i'w grogi a phennwyd y dyddiad, sef dydd Mercher, 2 Mawrth. Safai'r crocbren 15 llath o gell y condemniedig ac roedd y pydew yn ddeg troedfedd o ddyfnder. Canfu James Berry, y crogwr, fod Roberts yn pwyso 13 stôn ond penderfynodd roi cwymp anarferol o fyr iddo, sef tair troedfedd a saith modfedd, gyda lwfans o bum modfedd i'r rhaff ymestyn. Ofnai'r crogwr y byddai cwymp hwy yn rhwygo'r pen i ffwrdd. Roedd hyn wedi digwydd yn achos Moses Shrimpton yng Ngharchar Caerwrangon ar 25 Mai 1885. Yna, ar 30 Tachwedd, digwyddodd yr un peth i Robert Goodale yng Ngharchar Norwich. Yn y ddau achos, Berry oedd y crogwr.

Yn y cyfnod yma câi'r wasg fod yn bresennol yn ystod dienyddio. Y tro hwn, gan i'r cwymp fod mor fyr roedd pen Roberts, wedi i'w gorff ddisgyn, yn uwch na drysau'r trap. Ac ar ôl ychydig eiliadau gwelwyd ei gorff yn dechrau dirgrynu a dechreuodd anadlu. Tynnodd un newyddiadurwr ei wats allan i amseru'r farwolaeth. Cymerodd dair munud i farw. Danfonwyd pawb allan, ac wrth iddynt fynd gwelwyd fod bywyd yn y corff o hyd.

Câi'r wasg fod yn bresennol yn y Cwest hefyd, ond cyn i hwnnw agor aeth dau newyddiadurwr at Berry, a oedd

156

wrth ei frecwast, ond anghytunodd â hwy fod Roberts wedi cymryd amser hir i farw. Cynddeiriogodd a bygythiodd ddwyn achos o enllib yn erbyn unrhyw un a adroddai hynny mewn papur dyddiol. Yn y Cwest tystiodd y meddyg a Rheolwr y Carchar, Major Knox, i'r farwolaeth fod yn un ddisyfyd. Ond daliai aelodau'r wasg i anghytuno.

Roedd Berry wedi ei ddewis i fod yn ddienyddiwr allan o 2,100 o ymgeiswyr am y swydd. Yn ogystal â'i gyflog, cawsai dâl o £10 am bob dienyddiad a hanner hynny bob tro y câi'r ddedfryd ei newid i garchar am oes. Derbyniai hefyd ei holl gostau teithio yn ogystal â dillad y rhai a ddienyddiai. Roedd Berry wedi crogi 60 o garcharorion yn ystod ei ddwy flynedd gyntaf yn ei swydd, a hynny wedi ennill iddo £300 y flwyddyn. Ar un achlysur, wrth iddo glymu coesau un llofrudd ar y crocbren, derbyniodd gic nes ei fod yn anymwybodol a gofidiai'r Uchel Siryf na wnâi ddod ato'i hun mewn pryd i gyflawni ei ddyletswyddau.

Cariai Berry gerdyn ymwelydd gydag ef a'r geiriau, *Mr James Berry, Executioner* arni, ynghyd â'i gyfeiriad yn Bradford. Ond wrth ddangos ei gerdyn, ymddiheurai am nad oedd iddi forder du. Ond os oedd crogi'n grefft, yna doedd Berry ddim yn grefftwr.

George Edward Roberts

Pan gariodd gŵr a alwai ei hun yn 'Smith' ddyn arall a oedd wedi ei glwyfo'n ddrwg i mewn i Orsaf yr Heddlu yn Grangetown, Caerdydd ymddangosai fel rhyw Samaritan Trugarog. Yn anffodus, 'Smith' ei hun oedd wedi bod yn gyfrifol am yr ymosodiad.

Roedd hi'n 4.30 fore dydd Sul, 4 Chwefror 1940, pan gariwyd y dyn clwyfedig i mewn. Sylweddolodd dau heddwas, P.C. Arthur Jones a P.C. Eugene Adicott, ar unwaith fod y claf wedi dioddef archollion i'w ben a'i fod yn gwaedu'n ddrwg. Yn ôl 'Smith', roedd wedi dod ar draws y dyn ar y palmant yn Stryd Bradford, a chan fod y stryd yn dywyll oherwydd y blacowt, roedd bron iawn wedi sathru arno.

Sylwyd nad oedd y clwyfedig yn gwisgo het, côt fawr na siaced. Rhoddodd 'Smith' ei gyfeiriad fel rhif 56 Stryd Holmerdale, Caerdydd. Yna cerddodd dwy wraig i mewn, Marjorie Irene Clifford a'i chwaer, Doris Mary Scott, y ddwy o rif 54 Stryd Kent yn y ddinas. Eu neges oedd i rywbeth difrifol ddigwydd yn eu cartref yn gynharach. Wrth i Mrs Clifford wynebu 'Smith', adnabu ef ar unwaith fel George Edward Roberts, 29 mlwydd oed, a oedd yn lletya yn ei chartref.

Aeth P.C. Arthur Jones yn ôl gyda'r ddwy i'w cartref lle gwelodd lyn o waed yn y stafell ganol tra oedd y matiau a'r rygiau yn y fynedfa'n anhrefnus, yn union fel petai ymrafael wedi digwydd. Ar y llawr roedd bar haearn ag olion gwaed arno. Gwelwyd gwaed hefyd ar fraich cadair. Canfu'r heddwas lyfr gydag enw a chyfeiriad arno. Yr enw oedd Arthur Allen. Canfuwyd hefyd waled ar y silff ben tân.

Archwiliwyd y dyn clwyfedig yn Ysbyty City Lodge gan Dr Thomas David Vincent England. Gwelwyd ei fod yn gwaedu'n drwm o'i drwyn ac o'i glust dde. Roedd y benglog wedi'i thorri ac roedd toriadau ar ei dalcen.

Holwyd Roberts gan y Ditectif Ringyll William Hopkin. Daliodd Roberts at ei stori. Ond cyhuddwyd ef o achosi niwed corfforol a dygwyd ef drannoeth gerbron llys a'i gadw yn y ddalfa. Canfu'r heddlu fod parti wedi ei gynnal yn rhif 69 Heol y Fferi ar y nos Sadwrn, parti dyweddïo pâr ifanc. Er gwaethaf y rhyfel a bygythiadau'r *Luftwaffe*, âi bywyd yn ei flaen rywfodd a chynhelid ambell barti er mwyn cynnal yr ysbryd. Roedd y parti hwn wedi parhau hyd oriau mân fore dydd Sul.

Gadawodd criw o bobl y parti gyda'i gilydd tua 2.30, ac yn eu plith Arthur John Allen, 30 mlwydd oed. Roedd yn brif stiward ar y llong ager yr *Houston City*, llong fasnach a oedd wedi hwylio i mewn i Belfast rai dyddiau cyn hynny. Cawsai Allen ei dalu wrth iddo adael y llong. Yn ŵr priod, trigai yn rhif 121 Heol Clive, Treganna. Gan mai aelod o griw ei long oedd un o'r rhai oedd yn dyweddïo, cafodd wahoddiad i'r parti. Cerddodd adre yng nghwmni Evan Thomas Hewittson Lewis, gwraig hwnnw, ei fam, ei chwaer a'i chariad hi ac un arall, George Sheppard. Yn Stryd Kent ffarweliodd Allen â'r gweddill i fynd adref ei ffordd ei hun. Ond oherwydd ei bod hi'n hwyr ac yn dywyll, gwahoddwyd ef gan Mrs Lewis i aros yn ei chartref. Yna ymddangosodd George Edward Roberts, un arall a fuasai yn y parti, gan gynnig hebrwng Allen adref.

Wedi i'w gyflwr waethygu, trosglwyddwyd Allen i'r *Royal Infirmary* ac o dan lw cymerwyd datganiad oddi wrtho. Ar y ffordd adre, wrth i Roberts gynnig ei arwain, roedd Allen wedi awgrymu ffonio am dacsi, meddai. Ond gan nad oedd ganddo newid, awgrymodd aros wrth ymyl ciosg i ddisgwyl am rywun a allai fod â newid. Ond gwahoddodd Roberts ef i'w gartref lle byddai gan ei wraig geiniogau. Cytunodd Allen, ac yng nghartref Roberts gwnaeth hwnnw de iddynt cyn dweud ei fod yn mynd i fyny'r grisiau i nôl ceiniogau gan ei wraig. Cofiai Allen yfed y te, a'r cof nesaf ganddo oedd dihuno yn yr ysbyty a meddyg yn pwytho'i dalcen. Cofiai fod ganddo bum papur punt yn ei waled pan alwodd yn rhif 34 Stryd Kent.

Pan archwiliwyd Roberts yng Ngorsaf yr Heddlu cafwyd dau swllt a dwy geiniog yn ei bocedi. Ond yna cafwyd tystiolaeth ryfedd gan ddyn tân, Maurice Patrick Kemble, a oedd ar ddyletswydd yng Ngorsaf yr Heddlu pan ddygwyd Roberts i mewn. Tra oedd y plismyn yn brysur, roedd Roberts wedi gofyn i Kemble am sigarét. Taflodd hwnnw becyn draw. Cymerodd Roberts un a thaflu'r pecyn yn ôl. Y tro nesaf i Kemble agor y pecyn, roedd pum papur punt ynddo. Ar y papurau roedd olion gwaed.

Gwaethygu wnaeth cyflwr Allen a bu farw ddydd Mawrth, 8 Ebrill. Canfu Dr Jethro Gough mai achos y farwolaeth oedd 'cornwyd wedi ffurfio ar yr ymennydd gyda llid yr ymennydd yn dilyn o ganlyniad i'r benglog gael ei thorri'. Cyhuddwyd Roberts o lofruddiaeth a thraddodwyd ef i sefyll ei brawf ym Mrawdlys Morgannwg.

Ymddangosodd Roberts o flaen yr Ustus McNaughten yn Abertawe gyda Rowland Thomas a Godfrey Parsons yn erlyn ac O. Temple Morris A.S. a H.H. Hoskins yn amddiffyn. Tystiodd Marjorie Irene Clifford iddi gael ei dihuno yn ystod oriau mân fore dydd Sul, 4 Chwefror, gan sŵn taro a sŵn fel petai rhywun yn llusgo rhywbeth i gyfeiriad y drws allanol. Clywodd Mrs Roberts yn codi, a phan aeth y ddwy chwaer i lawr y grisiau, gwelsant olion gwaed ar y llawr. Yna aeth Mrs Clifford a'i chwaer at yr heddlu.

Roedd llanc 16 oed, Richard Gordon Lace o rif 85 Heol y Fferi, allan yn dosbarthu llaeth tua 6.00 o'r gloch y bore. Y tu allan i rif 60 Stryd Kent roedd wedi dod o hyd i gôt fawr a siaced ar yr heol. Ystyriodd eu cadw, ond pan welodd olion gwaed arnynt yng ngolau dydd, rhoddodd hwy i'w dad a chanfu hwnnw gerdyn yn enw Allen yn un o'r pocedi. Aeth hwnnw â'r dillad at yr heddlu. Yna, tua 8.30 y bore canfu Stella Courtney, rhif 87 Heol y Fferi, sgarff yn Stryd Kent. Aeth â hi adref i'w golchi ond wedi iddi weld y dŵr yn troi'n goch, aeth â hi at yr heddlu.

Canfuwyd olion gwaed ar fwlyn drws rhif 54 Stryd Kent. Ar far haearn roedd blew gwallt wedi glynu mewn gwaed wedi sychu, a'r blew hynny yr un lliw â gwallt Allen. Yna cyfaddefodd Roberts iddo ddwyn yr arian o boced Allen yn y tŷ ac iddo, wedi i Allen sylweddoli hynny ac ymosod arno, ymladd yn ôl. Wrth i Allen gael y gorau arno, cododd far haearn o'r llawr a'i daro. Ni fwriadai ei daro mor galed.

Yn ei araith derfynol gwahoddodd Temple Morris y rheithgor i ystyried dedfryd o ddynladdiad gan nad oedd yna fwriad ymlaen llaw gan Roberts i ladd Allen. 'Er fod y cyhuddedig, yn ôl ei gyfaddefiad ei hun, yn lleidr ac yn gelwyddgi, nid yw hynny'n ei wneud yn llofrudd,' meddai.

Ar ôl dwy awr o ystyried, dychwelodd y rheithgor ddedfryd o 'euog o lofruddiaeth', a dedfrydwyd Roberts i'w grogi. Dienyddiwyd ef ddydd Iau, 8 Awst 1940, yng Ngharchar Caerdydd.

Hendrikus Wilhelmus Rumping

Dangosodd achos o lofruddiaeth ar Ynys Môn yn 1961 fod dwyn eiddo yn gosb fwy difrifol na thrais. Petai morwr o Amsterdam wedi dwyn eiddo o stafell wely Margaret Gregory Hughes yn hytrach na chelsio'l threlsio, byddai wedi cael ei ddienyddio yn hytrach na'i ddedfrydu i garchar am oes.

Trigai Margaret, 21 oed, gyda'i rhieni yn rhif 17 Bron-y-Felin ar Stad Pencraig, Llangefni. Gwasanaethai fel morwyn gyda Dr Henry Ralph Fisher a'i wraig yn Llys Meirion, Stryd y Dŵr, Porthaethwy. Roedd hi'n ferch ddeniadol ac o gymeriad glân. Yn ôl Mrs Hilda Marion Fisher roedd hi'n ferch weithgar a chydwybodol. Enillai gyflog o £2.10s.0d. yr wythnos a châi ddydd Mercher a dydd Sadwrn yn rhydd bob wythnos.

Tua 5.45 brynhawn dydd Gwener, 30 Mehefin 1961, aeth Margaret i Langefni i weld ei rhieni. Clywodd Mrs Fisher hi'n dychwelyd tua 11.00 y noson honno. Cyn mynd i'w gwely, gwelodd y forwyn yn hulio brecwast erbyn y bore wedyn. Dymunodd y ddwy 'nos da' i'w gilydd a chafodd Mrs Fisher fath cyn clwydo.

Synnwyd hi drannoeth o weld fod y forwyn heb godi. Aeth i'r stafell ymolchi a sylwi ar ôl tebyg i ôl troed ar ymyl y bath a graean y tu mewn iddo. Aeth allan o'r tŷ a sylwi fod un o'r potiau blodau oedd yn union o dan ffenest stafell wely Margaret wedi ei symud ac ôl troed esgid ar sil y ffenest a ddisgrifiodd fel 'streipiau sarsiant y fyddin'. Sylwodd ei bod hi'n 9.00 o'r gloch gan sylweddoli y byddai angen i Margaret frysio os oedd am ddal y bws i fynd adre i Langefni am y dydd. Aeth i stafell wely'r ferch. Curodd ar y drws, ond heb gael ateb. Gwthiodd y drws yn agored ac yno ar y gwely gorweddai corff noeth a marw Margaret Hughes.

Canfu'r Patholegydd, Dr Gerald Evans, i'r ferch farw o dagfa, a hynny rhwng 11.30 y nos a 3.30 y bore, ac yn agosach i 3.30. Gwelodd nifer o grafiadau a chleisiau ar ei hwyneb, ei gwddf, ei thalcen, ei thrwyn, ei bochau a'i hamrannau. Gwelodd hefyd doriadau ar ei gwefus uchaf. Teimlai nad ergydion fu'n gyfrifol am yr anafiadau ond yn hytrach pwysedd trwm ar y geg a'r trwyn, ac yna'r gwddf.

Dangosodd ymchwiliad fforensig fod y llofrudd wedi dringo i mewn drwy ffenest y stafell ymolchi, a chynhaliwyd arbrawf drwy gael y Cwnstabl Thomas Richard Thomas, a oedd dros chwe throedfedd o daldra ac yn pwyso dros 14 stôn, i geisio dringo i mewn. Gwnaeth hynny a gwelwyd iddo ddisgyn ar yr union fan lle gwelwyd ôl troed y llofrudd ar ymyl y baddon. Canfuwyd hefyd ffibrau dieithr ar gorff y ferch a dau flewyn gwallt dieithr rhwng bysedd ei thraed.

Archwiliwyd y lle am olion bysedd gan y Ditectif Brif Arolygydd Stanley Weeks, pennaeth Adran Olion Bysedd Heddlu Dinas Lerpwl, arbenigwr gyda 26 mlynedd o brofiad. Llwyddodd i ganfod nifer o olion, yn cynnwys pedwar amlwg iawn ar ddarn o bren y ffenest. Yna cymerwyd olion bysedd pob gwryw dros 14 oed yn y dref.

Mêt ar long fasnach yr *MV Wiema* oedd Hendrikus Wilhelmus Rumping, a'i gartref yn Komotensingel, 505, Amsterdam. Roedd y llong wedi glanio gyda llwyth o goed arni ac wedi aros ym Mhorthladd Porthaethwy am yr wythnos, o ddydd Sul, 25 Mehefin. Byddai'r llong yn gadael am Lerpwl ar y dydd Sadwrn, 1 Gorffennaf.

Ar noson y llofruddiaeth bu Rumping yn y *Liverpool Arms* ym Mhorthaethwy tan 10.30. Gadawodd yng nghwmni nifer o'r criw, ond roedd y rheiny wedi ei adael ar y ffordd yn ôl i'r llong. Cofiai un o'r criw, Gerrit van der Hoek, iddo weld Margaret Hughes yn cerdded yn Sgwâr Uxbridge, Porthaethwy. Yn wir, roedd aelod arall wedi gofyn iddi a oedd arni ofn cerdded yn y tywyllwch mor hwyr y nos, ond nid atebodd. Ailymunodd Rumping â hwy ac aethant yn ôl i'r llong. Yn fuan wedyn, rhwng 11.15 a 11.30, benthycodd gloc larwm oddi wrth van der Hoek.

Roedd y llong i hwylio am 3.00 y bore, ond yna dywedwyd wrth y criw y byddent yn gadael ar y llanw nesaf. Meistr y llong oedd y Capten T.A. Belstra. Roedd hwnnw hefyd wedi gweld Rumping yn y *Liverpool Arms* ar y nos Wener a'i weld wedyn yn loetran ger iard goed. Dihunwyd Rumping am 4.00 gan forwr a oedd am gasglu brwsys paent. Yn ddiweddarach gwelodd y Capten ef yn sgwrio ac yn berwi'i drowsus yn ogystal â dillad eraill o'i eiddo.

Wedi i'r llong gyrraedd Lerpwl, gofynnodd Rumping i van der Hoek bostio llythyr ar ei ran mewn porthladd arall yn Lloegr. Ond pan fyrddwyd y llong gan yr heddlu, trosglwyddodd y llythyr i'r Capten. Darllenodd hwnnw'r llythyr a'i roi ar unwaith i'r heddlu. Llythyr gan Rumping i'w wraig oedd yn yr amlen yn dweud iddo wneud rhywbeth erchyll iawn, rhywbeth na fedrai hi fyth faddau iddo am ei gyflawni.

'Doi i wybod cyn hir beth ydyw,' meddai. 'Pan dderbynni di hwn, mwy na thebyg na weli di mohona i byth eto. Gwna dy orau i geisio deall, a phan ddaw pobl atat, cofia ddweud wrthynt am fy nghyfnodau o natur wyllt, pan

164

fyddaf yn gwneud pethau nad wyf yn cofio eu gwneud wedyn. Cadw fi yn dy feddwl weithiau.'

Ddydd Sul, arestiwyd Rumping. Cludwyd ef o Lerpwl i'w holi ym Mhorthaethwy gan y Ditectif Arolygydd Humphrey Jones, pennaeth ditectifs Heddlu Gwynedd, a'r Ditectif Roger Evans, Caergybi. Cafwyd fod ei olion bysedd yn cyfateb i'r rhai a gafwyd yn Llys Meirion. Canfuwyd hefyd ddarnau bychain o baent, ffibrau a gwallt pen a oedd yn cyfateb i rai a ganfuwyd yno. Traddodwyd ef i sefyll ei brawf ar gyhuddiad o lofruddio Margaret Hughes ac ymddangosodd ym Mrawdlys Caer ddydd Iau, 26 Hydref. Mr Alun Talfan Davies oedd yn erlyn, gyda Mr E. Rhys Roberts yn Gwnsler Iau. Mr Phillip Wein C F oedd yn amddiffyn gyda Mr D. Watcyn Powell yn ei gynorthwyo.

Prif asgwrn y gynnen yn yr achos fu'r llythyr a ysgrifennodd Rumping at ei wraig. Gan yr ystyrir gŵr a gwraig fel un yng ngolwg y gyfraith, dadleuwyd na ellid defnyddio'r llythyr fel tystiolaeth. Roedd y llythyr yn dystiolaeth ddamniol yn erbyn Rumping. Gellid ei ystyried fel cyfaddefiad. Gorchmynnodd y Barnwr, Mr Ustus Hinchcliffe, y dylid derbyn y llythyr fel tystiolaeth i'w glywed gan y rheithgor.

Dewisodd Rumping beidio â chyflwyno tystiolaeth. Cymerodd yr erlyniad ddau ddiwrnod a hanner i gyflwyno'r dystiolaeth ond ni chymerodd yr amddiffyniad fwy na thair awr a hanner. Ac o fewn 37 munud o drafod, dychwelwyd dedfryd unfrydol o 'euog'.

Trais oedd y bwriad amlwg. Ond gan na wnaeth ddwyn unrhyw eiddo o'r stafell, derbyniodd Rumping garchar am oes yn hytrach na'r gosb eithaf, a fodolai o dan yr *Homicide Act 1957*.

Apeliwyd ar ran Rumping i Dŷ'r Arglwyddi ar sail dadleuol y llythyr. Ond cadarnhaodd yr Arglwyddi, yr awdurdod uchaf yn y tir, fod y Barnwr yn iawn. Petai'r llythyr wedi cyrraedd ei wraig, ni ellid fod wedi ei gorfodi i'w gyflwyno na datgelu ei gynnwys. Ond yn yr achos hwn cafodd y llythyr ei ddal cyn iddo gyrraedd y wraig. Daeth Achos *DPP v Rumping* yn achos cyfreithiol enwog iawn.

Julian Samuel

Dywedwyd fod Julian Samuel mor feddal ei natur fel iddo unwaith gladdu chwilen a laddodd tra oedd yn torri porfa. Ond cafwyd y llanc â'r galon dyner yn euog o ladd gwraig ddiniwed yn y modd mwyaf treisgar.

Roedd Samuel yn gyn-ddisgybl yn Ysgol Ramadeg Llanelli, ac yno y cafodd swydd fel tirmon dros-dro. Dydd Gwener, 22 Gorffennaf 1966, roedd ei dymor gwaith i ddod i ben wedi i Keith Walters, clerc yr ysgol, ei weld yn un o'r caeau yng nghwmni merch 17 mlwydd oed. Roedd y ddau yn cusanu a dywedodd Walters wrtho am fynd.

Yn ystod prynhawn y diwrnod hwnnw roedd Margaret Florence Gray yn teithio ar fws o Lanelli i'r Pwll, lle trigai gyda'i gŵr a'r teulu yn Y Gerddi, Castell Strade, tua phedwar neu bum can llath o'r ffordd sy'n rhedeg tua Phenbre a Chaerfyrddin. Ar yr un bws roedd Mrs Annie Gwendoline Jones, o'r Pwll. Gwelodd honno Mrs Gray yn gadael y bws ger Gorsaf Heddlu'r Pwll, a safai rhwng mynedfa'r ysgol a'r lôn i'w chartref. Roedd hyn tua 5.10, ac ar wahân i un arall, Mrs Jones fyddai'r olaf i weld Mrs Gray yn fyw.

Bu Mrs Gray yn arddwraig Stad y Strade am flynyddoedd cyn mynd i weithio i Adran Parciau Bwrdeistref Llanelli yn 1965. Nid oedd ei gŵr, Sidney Charles Gray, yn ddyn iach ond eto cadwai stondin ym marchnad y dre lle gwerthai gynnyrch Stad y Strade. Saeson oedd y ddau ond wedi byw yn Llanelli am flynyddoedd. Roedd ganddynt ddau o blant, merch 19 oed yn gweithio mewn banc yn Llambed, a bachgen 13 oed yn Ysgol Coleshill.

Roedd Sidney wedi cyrraedd adref o flaen ei wraig, ac wrth iddo ddynesu at y tŷ ar hyd y lôn o'r ffordd fawr tua 4.45, gwelodd Julian Samuel. Er iddo gael gorchymyn i adael cyffiniau'r ysgol, dywedodd Samuel yr hoffai aros gerllaw sied y tirmon gan iddo drefnu i'w dad ddod i'w nôl adref.

Dechreuodd Sidney Gray ofidio o weld ei wraig yn hwyr yn cyrraedd. Aeth i chwilio amdani gan gerdded o'i tŷ tua 6.50 ar hyd y lôn tuag at y ffordd fawr. Cyn iddo gyrraedd pen y lôn, gwelodd gorff hanner-noeth ei wraig ynghanol prysgwydd. Aeth ar ei union i Orsaf yr Heddlu gerllaw lle rhoddodd gwraig y plismon garthen iddo i'w gosod dros y corff cyn iddi ffonio'r heddlu yn Llanelli.

Yn ddiweddarach eisteddai Mr Gray gyda'i fab ar wal y tu allan i Orsaf yr Heddlu yn y Pwll pan ymddangosodd Julian Samuel gan eistedd wrth ymyl y bachgen. Holodd Sidney ef pryd y gadawsai ei waith. Atebodd iddo adael am tua 5.30. Gofynnodd Sidney iddo hefyd a welodd unrhyw un yn agos at yr ysgol. Atebodd iddo weld Bill Baker yn gyrru lawr y lôn mewn car. Pan holwyd hwnnw, cadarnhaodd iddo weld Samuel tua 6.00 wrth ochr y lôn. Holodd Baker ef a oedd wedi colli rhywbeth. Atebodd Samuel iddo golli morthwyl. Yna sylwodd Baker fod ochr dde crys Samuel y tu allan i'w drowsus.

Dechreuodd yr heddlu holi pobl a fu yn y cyffiniau. Un ohonynt oedd Samuel, a oedd yn dal i eistedd ar wal Gorsaf yr Heddlu. Gofynnodd i un ditectif, 'Ai fi yw'r syspect pennaf?' 'Na,' meddai'r ditectif, 'ond rwyt ti'n dyst pwysig iawn.'

Gofynnwyd i Samuel gan yr Arolygydd David Thomas ble'r oedd y dillad a wisgai'r prynhawn hwnnw. Newidiodd ei liw ac atebodd eu bod gartref yn Nhyle Teg, Porth Tywyn. Aethpwyd ag ef i Orsaf yr Heddlu, Llanelli a chasglwyd ei ddillad. Canfuwyd olion gwaed ar y trowsus. Yn ddiweddarach profwyd eu bod o'r un grŵp gwaed ag un Mrs Gray. Yn fuan cyfaddefodd y llanc iddo ladd y wraig, a hynny am iddi wrthod ei gydnabod pan ddymunodd 'bore da' iddi. Teimlai bod eisiau 'dod â hi lawr beg neu ddau'. Wrth iddo ymosod arni teimlodd awydd cael cyfathrach rywiol. Defnyddiodd forthwyl o'r sied i'w tharo ar ei phen. Rhwygodd ei dillad ond ni threisiodd hi. Yna trawodd hi droeon â'r morthwyl mewn panig. Canfuwyd y morthwyl ag olion gwaed ar y pen yn y sied.

Ddydd Llun, 25 Gorffennaf, agorodd y Crwner, J. Verdi Jenkins, gwest ar y farwolaeth a chafwyd tystiolaeth archwiliad *post mortem* gan Dr William Reginald Lester James. Roedd y benglog wedi'i thorri a rhwygiadau wedi eu hachosi i'r ymennydd. Roedd pum toriad i'r croen ar gopa'r pen a thoriadau ar aeliau'r llygaid. Gwelwyd cleisiau hefyd ar gyhyrau'r frest. Roedd hi wedi ei tharo â'r morthwyl o leiaf chwech o weithiau.

Daeth Samuel o flaen Brawdlys Morgannwg ddydd Gwener, 28 Hydref, yn Abertawe o flaen yr Ustus Havers gyda Phillip Wein C.F. yn erlyn a Tasker Watkins V.C. yn amddiffyn. Plediodd yn ddieuog i lofruddiaeth. Yr unig ddadl oedd cyflwr meddwl y diffynnydd. Tystiodd meddyg Carchar Caerdydd ei fod yn 'ddyn y rhyw deg' ac wedi ysgrifennu llawer o lythyron at wahanol ferched tra oedd yn y carchar gan dderbyn sawl ateb. Teimlai'r meddyg fod cyflwr meddwl Samuel yn iawn ac y dylai sefyll ei brawf. Teimlai Dr Thomas Riordon, Arolygydd Meddygol yn Ysbyty Cefn Coed, Abertawe fod Samuel yn dioddef o dueddiadau ymosodol anghyffredin ond nid o salwch meddwl a wnâi amharu ar ei feddwl. Yn ôl yr Athro Kenneth Rawnsley, Pennaeth Adran Meddygaeth Seicolegol yn yr Ysgol Feddygol Genedlaethol Gymreig yng Nghaerdydd, nid oedd Samuel yn dioddef o salwch meddwl digonol ar gyfer ple o gyfrifoldeb lleiedig.

Roedd y ferch a fu'n cusanu Samuel ar gaeau'r ysgol wedi tystio i bry llwyd ddisgyn arni ac i'r llanc wneud dim mwy na'i gyffwrdd yn ysgafn i'w yrru i ffwrdd. Byddai pobl yn chwerthin ar ei ben am na allai ladd trychfilod. A dyna pryd y clywyd iddo unwaith fynd dros ben chwilen â pheiriant torri gwair ac yna fynd i'r drafferth o gladdu'r chwilen.

Bu'r rheithgor yn trafod yr achos am deirawr ond heb fedru cytuno. Roedd un aelod yn methu derbyn nad oedd rhywbeth o'i le ar feddwl Samuel, ac ni syflai ddim. Bryd hynny roedd angen cytundeb llwyr rhwng y deuddeg, sef dyfarniad unfrydol. Rhaid, felly, fu cynnal achos arall.

Ymhen mis clywyd yr achos hwnnw o flaen Mr Ustus Glyn Jones ym Mrawdlys Caerdydd gyda Peter Thomas C.F. yn erlyn a Kenneth Jones C.F. yn amddiffyn. Erbyn hyn roedd yr amddiffyniad wedi canfod meddyg a wnâi dystio fod Samuel yn dioddef o gyfrifoldeb lleiedig, sef annormalaeth a fyddai wedi amharu ar ei gyflwr meddyliol. Ni ellid bod wedi disgwyl i unrhyw reithgor ddiystyru'r fath dystiolaeth ac yn wyneb hynny gorchmynnodd y Barnwr i'r deuddeg ddychwelyd dedfryd o ddynladdiad. Ac felly y bu.

Ond roedd tro yng nghynffon y ddedfryd. Teimlai'r Barnwr na fyddai'r un fenyw yn ddiogel tra byddai Samuel

170

yn rhydd. Danfonodd ef i garchar am oes.

William Samuel

Yn 1886, Joshuah Judge, rhif 5 Pride Hill, Amwythig oedd rheolwr Cwmni James Debac a G. Charles Sheaff, groseriaid oedd â siopau yn yr Amwythig ac yn y Trallwng. Roedd siop y Trallwng wedi'i lleoli yn rhif 6 Stryd yr Eglwys, ac ar ddau ddiwrnod yn unig – dydd Llun a dydd Sadwrn – y byddai'r siop honno ar agor.

William Mabbott, gŵr priod 32 mlwydd oed ac yn byw yn Stryd Barker oedd un o weithwyr y cwmni, a hynny ers pedair blynedd. Gweithiai yn yr Amwythig y rhan fwyaf o'r amser ond cymerai hefyd ofal y siop yn y Trallwng pan fyddai honno ar agor. Yno y gweithiodd ddydd Sadwrn, 12 Mehefin a'r dydd Llun, 14 Mehefin 1886. Tua hanner nos ar y nos Sadwrn dychwelodd i'r Amwythig gyda'r arian a gymerwyd yn ystod y dydd.

Roedd William Samuel, gŵr priod 24 mlwydd oed, hefyd yn gweithio i'r cwmni ac wedi bod yn y swydd ers 5½ mlynedd. Treuliodd 18 mis yn yr Amwythig ond gadawodd i weithio i ddyn o'r enw Bradford yn y Trallwng. Yna sefydlodd ei fusnes ei hun yn neuadd marchnad y dref gan wneud busnes â'i gyn-gyflogwyr. Ond cafodd ei hun mewn dyled i'r cwmni o £7. 11s. 0c. Gorchmynnodd Josuah Judge i Mabbott gasglu'r arian oedd yn ddyledus oddi wrth Samuel, ac erbyn 12 Mehefin roedd y ddyled wedi disgyn i 16/-. Ond câi Samuel hi'n anodd clirio'r ddyled yn llwyr.

Ychydig cyn 6.30 brynhawn dydd Llun, 14 Mehefin, aeth Samuel i westy'r *Bull* yn y Trallwng, ac yn ôl Eliza Jones, gwraig y dafarn, daeth â jwg gydag ef a gofynnodd am beint o stowt. Roedd y gwesty ar draws y ffordd i'r siop lle'r oedd William Mabbott yn gweithio'r diwrnod hwnnw.

Cerddodd Samuel allan o'r *Bull* yn cario'r ddiod. Cyfarchwyd ef gan un o weithwyr y gwesty, Arthur Gough. Cynigiodd Samuel ddracht iddo. Yno hefyd roedd Benjamin Slimm, ac yfodd yntau ddracht o'r jwg. Yna croesodd Samuel y stryd i'r siop lle gweithiai Mabbott. Gwelwyd ef gan fachgen 10 oed, Thomas Morris, a weithiai'n achlysurol yn y siop, yn sgwrsio â Mabbott. Gofynnodd hwnnw iddo a oedd wedi dod i glirio'r ddyled. 'Na,' atebodd Samuel a mynd allan. 'Fydda i 'nôl nawr.' Dychwelodd Samuel ac aeth y bachgen allan. Ond pan ddychwelodd y bachgen ymhen ychydig funudau, gwelodd ei feistr yn syrthio y tu ôl i'r cownter. Aeth â glased o ddŵr iddo.

Ac yntau'n amlwg mewn poen, gwaeddodd Mabbott ar Richard Rowlands, gwerthwr llysiau o rif 16 Stryd yr Eglwys, a oedd yn pasio ar y pryd. Roedd gwraig Rowlands, Mary, wedi gweld Samuel yn gadael y siop am y *Bull* tua amser te yn cario jwg wen o dan ei gôt. Canfuwyd mai perchennog y jwg oedd Mary Williams, mam-gu Thomas Morris. Roedd Samuel wedi gofyn iddi a gâi ei benthyg.

Roedd John Burroughs yn oriadurwr â'i siop ddau ddrws oddi wrth siop Mabbott. Dywedodd iddo fynd i weld Mabbott tua 6.30 a'i weld yn dioddef. Rhoddodd iddo ddiferyn o frandi. Pan welodd fod y claf yn crynu drwyddo, danfonodd Burroughs am feddyg. Yna cyrhaeddodd Arthur Gough a Benjamin Slimm yn ogystal â William Samuel. Yng ngŵydd y rhain a dau feddyg, Dr Herbert Hawksworth a Dr Francis Ernest Marston, gofynnodd Mabbott i Samuel beth oedd yn y jwg. Ateb hwnnw oedd fod Gough a Slimm wedi yfed o'r un jwg.

Pan welodd y ddau feddyg fod Mabbott yn dirgrynu, ac yna'r gwefusau ar gau yn dynn, y llygaid yn syllu, yr wyneb yn ddulas a'r cefn yn plygu 'nôl fel bwa, ynganodd y ddau un gair yn uchel ac ar yr un pryd, *'Strychnine.'*

Galwyd ar y Rhingyll Abraham Breeze, ond o fewn deng munud bu farw Mabbott. Arestiwyd Samuel a chadarnhaodd archwiliad *post mortem* mai achos marwolaeth Mabbott oedd *strychnine*.

Anfonwyd cynnwys y stumog at y Dadansoddwr Cyhoeddus dros Siroedd Trefaldwyn, Meirionnydd, Henffordd ac Amwythig, Thomas P. Blunt, a chafwyd fod olion y gwenwyn yn y stumog a'r jwg. Yna dangosodd ymchwiliad yr heddlu fod Samuel, dair wythnos cyn marwolaeth Mabbott, wedi gofyn i Albert Hughes, a weithiai i fferyllydd, Thomas Griffiths o Stryd Lydan yn y dref, a allai gael *arsenic* neu *strychnine* heb orfod arwyddo amdano. 'Dim heb dyst arall,' oedd yr ateb. Gallai wedyn gael gwerth 3d. neu werth 6d. Esboniad Samuel oedd ei fod am ladd llygod mawr.

Ceisiodd Samuel gael hyd i gyflenwad o'r gwenwyn drwy bob math o ystrywiau. Ceisiodd dwyllo teiliwr o'r enw George Ellis a gweithiwr rheilffordd, George Morris, i brynu'r gwenwyn ar ei ran, ond heb lwyddiant. Gwrthodwyd eu cais mewn dwy fferyllfa. Ond yna llwyddodd i dwyllo garddwr o'r enw John Pugh o *Three Tuns Passage* yn y dref i nôl cyflenwad a dweud ei fod ar gyfer Charles Morris, mab fferm yr Henfaes, er mwyn lladd llygod mawr. Gweithiai Pugh yn achlysurol i Morris. Ddydd Llun, 7 Mehefin, yn y farchnad rhoddodd Samuel swllt i Pugh er mwyn prynu gwerth 6d. o'r gwenwyn oddi wrth George Edward Davies, y fferyllydd. Dychwelodd

174

Pugh â photelaid o bast ffosffor. Danfonodd Samuel ef yn ôl, a'r tro hwn dychwelodd gyda phecyn yn cynnwys 30 o ronynnau o *strychnine*. Rhwbiodd Samuel ei ddwylo gan ddweud, 'Dyma'r stwff.'

Daeth yn amlwg i Samuel brynu'r stowt yn gwbl agored, yn wahanol i'r *strychnine*. Yr un mor amlwg oedd iddo osod y gwenwyn yn y ddiod wedi i Arthur Gough a Benjamin Slimm yfed o'r jwg.

Cyhuddwyd Samuel yn ffurfiol, ac yn dilyn y Cwest yng ngwesty'r *Bull* traddodwyd ef i sefyll ei brawf o flaen Mr Ustus Groves ym Mrawdlys Trefaldwyn yn y Drenewydd ar 9 Gorffennaf gyda Clement Higgins C.F. a Marshall Jones yn erlyn a Malcolm Douglas yn amddiffyn. Plediodd Samuel yn ddieuog. Taerodd na wyddai fod gwenwyn yn y stowt pan gynigiodd ddiod i Mabbott. Dim ond 23 munud fu'r rheithgor yn ystyried y dystiolaeth cyn dychwelyd dedfryd o 'euog'.

Cludwyd Samuel i Garchar Amwythig a daeth ei wraig ifanc i'r dref lle'r arhosodd hyd ddiwrnod y dienyddio, dydd Mawrth, 27 Gorffennaf. Yn hwyr iawn ar noswyl y crogi gwnaeth Samuel gyfaddefiad llawn. Ni chysgodd fawr ddim yn ystod ei noson olaf na bwyta llawer o frecwast. Wrth iddo sefyll wrth y crocbren am 8.00 o'r gloch y bore hwnnw dywedodd wrth y Caplan,

'Rwyf wedi gosod yr holl beth gerbron fy Iachawdwr, ac y mae Ef wedi maddau i mi am ddwyn ymaith fywyd dyn diniwed iawn.'

James Berry oedd y crogwr. Defnyddiodd raff a oedd eisoes wedi crogi pump arall. Roedd pedwar newyddiadurwr yn bresennol yn ystod y dienyddio. Rhoddwyd cwymp o saith troedfedd i William Samuel.

Alan Simm

Ar 22 Mehefin 1990, daethpwyd o hyd i gorff hanner noeth Jane Simm, fferm Brynderi, Bancyfelin ger Caerfyrddin mewn car ar un o gaeau'r fferm. Ymddangosai fel petai rhywun wedi ymosod yn rhywiol arni gan ei churo sawl tro ar ei phen.

Yn ôl y Patholegydd, roedd y benglog wedi ei thorri mewn nifer o fannau a'r trancedig wedi dioddef anafiadau difrifol, yn fewnol ac yn allanol, o ganlyniad iddi gael ei churo ag offeryn di-fin.

Ffermwr lleol ddaeth o hyd i'r corff, a thua'r un adeg derbyniodd yr heddlu alwad ffôn oddi wrth ŵr Jane Simm, Dr Alan Simm, 35 mlwydd oed. Roedd ei wraig yn 29 oed, ac yn hyfforddwraig marchogaeth ran-amser yng Nghanolfan Marchogaeth Penlan, San Clêr. Nid oedd wedi dychwelyd o ddiwrnod o siopa, a gofidiai ei gŵr am ei diogelwch.

Ar ddiwrnod y llofruddiaeth roedd Simm wedi dechrau cynnal cwrs bioleg i dri myfyriwr yn ei gartref tra oedd ei wraig yn mynd â'i chaseg i fferm stalwyn. Ond y bore hwnnw derbyniodd y myfyrwyr alwadau ffôn oddi wrth Simm yn gofyn iddynt ddod i Frynderi yn hwyrach na'r amser penodedig. Wedi iddynt gyrraedd, cynhaliwyd y cwrs gydol y dydd a chofrestrwyd ei alwad ffôn i'r heddlu, yn dweud fod ei wraig ar goll, am 10.14 y noson honno.

Roedd y pâr wedi prynu Brynderi ym mis Medi 1989 pan oedd y lle bron yn adfail. Wrth adnewyddu'r tŷ, aeth Dr Simm i ddyled sylweddol iawn. Roedd bywyd Mrs Simm wedi ei yswirio am £100,000, ac wrth archwilio'r tŷ yn ddiweddarach, canfu'r heddlu nodiadau a dogfennau'n dangos cynlluniau manwl a gymerodd wythnosau, mae'n rhaid, i'w paratoi. Cynlluniau oedd y rhain ar gyfer lladd Jane Simm. Arestiwyd ei gŵr a'i gyhuddo o'r llofruddiaeth.

Gerald Elias C.F. oedd yn arwain dros yr erlyniad ac yn Llys y Goron, Caerdydd ym mis Mai 1991. Dywedodd wrth y rheithgor yn ei araith agoriadol mai bwriad y llofrudd oedd hawlio'r arian yswiriant. Roedd gweithgareddau'r diffynnydd yn amlwg, meddai. Roedd ei ymddygiad yn hunanfeddiannol a dideimlad, gyda'i feddwl a'r pwrpas yn eglur. Roedd wedi dweud celwydd wrth yr heddlu er mwyn cuddio'i drosedd a'r gwirionedd. Y gwir oedd iddo lofruddio'i wraig a gosod ei chorff yn sedd gefn y car modur, rhif D849 WFL – gan yrru'r car i'r fan y'i canfuwyd gan y ffermwr. Aeth Mr Elias ymlaen i ddweud mai'r rheswm iddo ddweud wrth y tri myfyriwr am gyrraedd ei gartref yn hwyrach oedd ei fod, ar y pryd, wedi llofruddio'i wraig.

Yn y bocs tystio cyfaddefodd Simm iddo ladd ei wraig ond ei fod yn dioddef o salwch meddwl – cyfrifoldeb lleiedig – ac mai'r annormalaeth honno oedd wedi amharu ar ei gyfrifoldeb meddyliol. Roedd ei wraig, meddai, wedi ei yrru i'r cyflwr hwnnw.

Dywedodd iddo deithio i Coventry ar ddechrau'r wythnos gan ddod adref dros y penwythnos i ofalu am anifeiliaid y fferm. Ar ben hynny treuliai 18 awr yn cynnal gwersi bioleg i fyfyrwyr preifat. Nid oedd Jane, meddai, yn hapus ar ei bywyd. Gosodai hi bwysau arno ac achosai hynny dyndra a llawer o gweryla. Roedd wedi ystyried rhedeg i ffwrdd, ond ar ôl meddwl daeth i'r penderfyniad mai'r unig ateb i'r broblem fyddai lladd ei wraig. Cynlluniodd i roi anesthetig iddi drwy ddefnyddio ether ac yna ei chwistrellu â thoddiant o botasiwm clorid dirlawn. Byddai'r cyffur hwn yn amharu ar weithgareddau trydanol y galon. Gwnâi i'r galon sefyll. Byddai hyn yn ymddangos fel petai Jane wedi dioddef trawiad ar y galon, ac amhosib fyddai i unrhyw un fedru profi beth oedd union achos y farwolaeth. Ychwanegodd fod ganddo labordy ar y fferm ac roedd y cyffuriau angenrheidiol ganddo eisoes yn y labordy.

Aeth ymlaen i ddweud iddo gynllunio'r llofruddiaeth tra oedd ei wraig yn cysgu. Ond yn y diwedd ni allai fagu'i gwroldeb i wneud hynny. Yn hytrach na llofruddio'i wraig, penderfynodd ei gadael. Ar y bore tyngedfennol, paciodd ei ddillad. Wrth i'w wraig ei weld yn gwneud hynny dywedodd Jane wrtho na châi fynd â'r car modur. Os oedd am fynd, yna gallai gerdded.

O glywed hyn roedd wedi mynd yn gandryll. Cydiodd Jane ynddo ond gwthiodd hi o'r ffordd. Cwympodd Jane gan daro'i phen yn erbyn carreg. Yna fe'i trawodd hi sawl gwaith ar ei phen. Wedi iddo sylweddoli ei bod hi'n farw, ceisiodd guddio'r drosedd gan feddwl creu sefyllfa debyg i ddamwain marchogaeth. Ond wedi iddo lapio tywel am ei phen, gosododd hi yn y car a'i gyrru hanner milltir o'r tŷ. Diosgodd rai o'i dillad a thynnodd ei throwser i lawr i ddangos bwriad o ymosodiad rhywiol.

Ar ran Simm, dywedodd Christopher Pitchford fod y lladd wedi ei gyflawni ar adeg o straen ofnadwy ar y diffynnydd a'i fod yn dioddef o iselder ysbryd ac o annormalaeth meddwl. Ond yn ei araith olaf i'r llys, dywedodd Gerald Elias fod Simm wedi bwriadu llofruddio'i wraig. Roedd wedi cynllwynio i wneud hynny.

Yn fwy na hynny, roedd wedi cyfaddef iddo gynllwynio i'w llofruddio. Ond gwnaeth hynny yn unig ar ôl i'r heddlu ganfod ei gynlluniau yn ei gartref. Roedd meddwl y cyhuddedig yn glir, meddai, a'i fwriad oedd elwa'n ariannol trwy hawlio £100,000 o arian yswiriant.

Daeth yn amlwg hefyd mai dyma oedd barn aelodau'r rheithgor. Eu dedfryd oedd 'euog o lofruddiaeth'. Carcharwyd Alan Simm am oes gan yr Ustus Simon Brown.

Ajit Singh

Wedi i lofrudd gael ei grogi ym Mhrydain, câi'r corff ei gladdu o fewn terfynau'r carchar. Yr unig eithriad yn hanes troseddol gwledydd Prydain oedd Ajit Singh. Yn ei achos ef, amlosgwyd ei gorff yn gyntaf.

Pedler oedd Ajit Sing, Indiad tal, tenau gyda barf dywyll. Gwisgai dwrban pinc bob amser. Teithiai o le i le i werthu dillad ysgafn a manion bethau fel sanau a theis lliwgar, ac yn 1951 trigai yn Elder House, Penybont-ar-Ogwr.

Tra ar ei deithiau daeth Singh i adnabod Joan Marion Thomas, Stryd Mackworth, Penybont, gwraig weddw a weithiai mewn siop yn Nheras Dunraven yn y dref. Bu'r ddau'n cyfathrachu gyda'i gilydd ond, ar ôl cyfnod, roedd Joan yn awyddus i ddod â'r berthynas i ben. Ni fynnai Ajit hyn o gwbl a dilynai Joan i bob man ac ar bob cyfle posibl.

Roedd chwaer gan Joan yn gweithio yn Ysbyty Arunigedd Cefn Hirgoed ger Penybont. Brynhawn dydd Sul, 30 Rhagfyr 1951, aeth Joan, yn ôl ei harfer, i ymweld â'i chwaer. Teithiodd ar y bws o Benybont yng nghwmni Mildred Valerie Williams. Cyn iddynt ddal y bws, ymddangosodd Singh o rywle a gofynnodd i Joan ynghylch ei threfniadau ar gyfer y noson honno. Dywedodd Joan wrtho am feindio'i fusnes ei hunan. Clywodd Valerie ef yn mwmian. Yna gwelodd ef yn ysgrifennu rhywbeth ar ddarn o bapur a'i roi yn ei boced cyn troi a gadael. Ond dychwelodd yn fuan, a phan gyrhaeddodd y bws dilynodd Singh y ddwy ferch.

Pan gyrhaeddodd y bws yr arosfan ger Cefn Hirgoed, Singh oedd y cyntaf i ddisgyn oddi arno. Yna aeth Joan a Valerie allan. Aeth Singh i siarad eto gyda Joan a cherddodd Valerie ymlaen tua phum llathen o'u blaenau. Pan glywodd y ddau yn dadlau, edrychodd yn ôl a gweld Singh yn gwthio Joan. Agorodd Singh ei gôt law. Edrychodd Joan arno a gweiddi, 'Val, mae dryll gydag e!' Yna clywyd dwy ergyd. Dechreuodd Joan redeg a chlywodd Valerie ragor o ergydion a gweld Joan yn syrthio i'r llawr.

Taniwyd cyfanswm o bum ergyd ac aeth dwy ohonynt i gcfn Joan. Wrth iddi ddianc, rhedodd Singh ar ei hôl. Llwyddodd i'w dal ac yna taniodd ergyd a aeth drwy ei chalon. Trawodd un ergyd ddynes arall oedd gerllaw, Miss Beryl Gore, Panthirwaun, Heol-y-Cyw, Penybont yn ei chlust. Modfedd neu ddwy fu rhyngddi hi a marwolaeth.

Ni wnaeth Singh unrhyw ymdrech i ddianc, a phan gyrhaeddodd y Rhingyll Geoffrey Robinson gwelodd ef yn dal Joan yn ei freichiau. Gofynnodd y Rhingyll iddo beth oedd wedi digwydd ac atebodd Singh, *'I shoot her, she is very sick.'* Pan ofynnodd i Singh ble'r oedd y gwn, pwyntiodd at fag Joan. Roedd y pistol i mewn yn ei bag. Mewn datganiad i'r Ditectif Arolygydd Gwyn Smith cyfaddefodd Singh na wnâi Joan wrando arno a bod y dryll wedi tanio'n ddamweiniol. Doedd ganddo ddim bwriad i'w lladd.

Cyhuddwyd Ajit Singh o lofruddiaeth a thraddodwyd ef i sefyll ei brawf ym Mrawdlys Morgannwg o flaen yr Ustus Byrne yng Nghaerdydd ddydd Mercher, 19 Mawrth. Edmund H. Davies C.F. oedd yn erlyn gydag Eifion Evans yn ei gynorthwyo. Vincent Lloyd Jones C.F. a Rhys Roberts oedd yn amddiffyn.

Gan i Singh honni i'r dryll danio'n ddamweiniol, galwyd

ar y Prif Arolygydd George Price, arbenigwr mewn arfau yn Labordy Fforensig Nottingham, i dystio yn dilyn ei archwiliad o'r pistol. Roedd y pistol Almaenaidd yn hunanlwythol. Pe llenwid y dryll gyda'r glicied diogelwch heb ei chloi, byddai angen pwysedd o 17 pwys ar y triger i'w danio. I danio'r bwledi eraill, byddai angen pedwar pwys. Trosglwyddwyd yr arf i'r Barnwr a'r rheithgor ei brofi. Roedd y dystiolaeth hon yn hoelen yn arch Singh.

Dadleuodd Singh na fedrai gofio dim am y saethu. Ni chlywsai Joan yn gweiddi na chofio'i gweld yn rhedeg i ffwrdd. Gwrthododd y Barnwr â'i gredu. Yna, yn ei araith olaf i'r rheithgor, daliodd Edmund Davies y pistol yn ei law a phwyso'i fys ar y triger a mynnu na allai Singh fod wedi tanio'n ddamweiniol. 'Damwain,' meddai, gan godi ei lais. 'Ydi e'n dweud iddo gael pum damwain?' Ailadroddodd y geiriau gan godi ei lais yn uwch eto.

Dywedodd y Barnwr wrth gloi fod Singh, wrth anelu'r dryll at Joan Thomas – pr'un ai a oedd y dryll yn wag neu wedi'i lwytho – yn euog o weithred anghyfreithlon. Golygai hynny fod dedfryd o ddieuog allan o'r cwestiwn. Gyda pha fwriad yr anelodd y dryll, gofynnodd. Gwyddai fod ei berthynas â'r ferch wedi dod i ben. Roedd mewn cyflwr meddyllol o'r fath fel ei fod yn mynd i'w lladd, ac fe wnaeth hynny.

Wedi hanner awr yn unig o drafod, cafodd y rheithgor Singh yn euog o lofruddiaeth, ond gydag argymhelliad am drugaredd. Wrth i'r wraig a oedd yn fforman ddweud hyn, bu bron â thorri i lawr a chafodd hi'n anodd i yngan y geiriau. Dedfrydwyd Singh i'w grogi.

Mewn gwrandawiad apêl ar 22 Ebrill, gwrthodwyd ei gais. Roedd hi'n amlwg i hwn fod yn achos clir o lofruddiaeth fwriadol ac roedd y dystiolaeth yn ei erbyn yn aruthrol. Gwrthodwyd hefyd unrhyw honiad i'r Barnwr gamarwain y rheithgor. Penodwyd dydd Mercher, 7 Mai 1952, fel diwrnod dienyddio Ajit Singh. Ond nid dyna ddiwedd y stori. Derbyniodd yr Ysgrifennydd Cartref gais oddi wrth yr Uchel Gomisiynydd dros India. Gofynnai am i gorff Singh, yn ôl yr arfer yn India, gael ei amlosgi. Mater o hawl grefyddol oedd hyn, meddai. Cytunodd yr Ysgrifennydd Cartref, a hwn oedd y tro cyntaf erioed yn hanes dienyddio ym Mhrydain i gorff y condemniedig gael ei amlosgi. Gwnaed hynny yn Amlosgfa Glyntâf a dychwelwyd y llwch i'w gladdu o fewn muriau'r carchar.

Yn union wedi'r crogi, tystiodd Swyddog Meddygol Carchar Caerdydd, Dr Tom Wallace, i'r farwolaeth fod yn un ddisyfyd o ganlyniad i dorri madruddyn y cefn. Yna gofynnwyd cwestiwn gan aelod o'r rheithgor i'r meddyg. A oedd hi'n wir y gallai calon guro am 20 munud ar ôl y dienyddio? 'Ddim yn yr achos hwn,' atebodd Dr Wallace. 'Pan archwiliais y corff roedd y pŷls wedi sefyll.'

Cadarnhawyd gan Reolwr y Carchar, y Cyrnol W.H. Beak, i'r dienyddiad gael ei weinyddu'n gywir, yn gyflym, yn dosturiol a heb rwystr. Ychwanegodd y câi'r llwch ei gladdu o fewn terfynau'r carchar.

George Stills

Y term am lofruddiaeth mam gan un o'i phlant yw mamleiddiad, trosedd nad yw'n digwydd yn aml. Ond fe ddigwyddodd ym Mhontycymer ddechrau'r ganrif ddiwethaf.

Am ugain mlynedd bu priodas George a Rachel Hannah Stills yn un anhapus iawn. Y drwg yn y caws oedd gorhoffter Rachel o ddiod feddwol. Trodd o fod yn fenyw weithgar i fod yn filain ac yn ymosodol. A hynny a arweiniodd at ei marwolaeth hi ac at grogi ei mab.

Trigai George a Rachel a'u meibion, John a George Iau, yn rhif 7 Heol Penybont, Pontycymer. Erbyn 1907 roedd y ddau wedi bod yn briod ers 47 o flynyddoedd a'r meibion yn gyflogedig yn y diwydiant glo, John yn löwr a George yn haliö glo. Un byr oedd George y mab ond yn gyhyrog ac yn sgwâr ei ysgwyddau. Roedd ganddo wallt brown tywyll a chyrliog a thyfai fwstás. Yn 1907 roedd yn 34 mlwydd oed. Hanai teulu'r tad o Nottingham, ac wrth i George Iau gyfeirio'n aml iawn at hynny, cafodd y llysenw 'Notty'.

Buasai Rachel, y fam, yn fenyw weithgar am flynyddoedd hyd nes iddi, am resymau na wyddai neb amdanynt, droi at y ddiod feddwol. Wrth iddi fynd yn gaeth i alcohol, dirywiodd y berthynas rhyngddi hi a'i theulu. Dirywiodd ei chyflwr i'r fath raddau fel na allai ofalu am ei theulu a bu raid i'w gŵr redeg y cartref gan hyd yn oed fwydo'r meibion. Yn ôl ei gŵr, petai unrhyw aelod o'r teulu yn anghydweld â hi, byddai hwnnw'n debygol o dderbyn 'cyllell, procer neu jwg yn ei wyneb'.

Nos Lun, 9 Medi, roedd Rachel, a oedd yn 70 oed, wedi bod mewn tymer mor ddrwg fel i'w gŵr ofni mynd i'r gwely, felly cysgodd yn y gegin. Bore trannoeth aeth y tad a'r meibion i westy'r Ffaldau yn y pentref. Gadawodd John o flaen ei dad a'i frawd ac aeth i'w wely. Pan ddychwelodd yr ail fab am 12.30, bu cweryl cas rhyngddo ef a'i fam. Tua 1.15 roedd dwy ferch 15 oed, Rebeca Leyshon a Lilly Harris, yn pasio'r tŷ pan glywsant sŵn gweiddi. Drwy'r ffenest gwelsant George, y mab, yn curo'i fam yn ddidrugaredd. Roedd y fam ar ei chefn mewn cornel o'r stafell a'r mab ar ei bengliniau yn ei churo'n ddi-baid.

Tynnwyd sylw dwy gymdoges, Sarah Pryor ac Anne Davies. Pan welodd George hwy yn y tŷ, cododd. Gwelwyd gwaed ar ei ddwylo. Ceryddwyd ef gan Sarah Pryor ac atebodd rywbeth yn Gymraeg na fedrai'r gwragedd ei ddeall. Yna trodd arnynt gan fygwth, yn Saesneg, y cawsent hwythau'r un driniaeth os na adawent y tŷ. Ni feddyliodd y ddwy ar y pryd i Rachel dderbyn niwed mawr.

Aeth y ddwy allan at gymdogion eraill a oedd wedi ymgasglu. Yna, ddeng munud yn ddiweddarach, gwelsant George yn cario'i fam allan, ei gosod ar y palmant a thynnu ei dillad i fyny dros ei phen. Yna aeth yn ôl i'r tŷ a chau'r drws. Gwelwyd fod Rachel wedi dioddef ymosodiad ffyrnig. Galwyd ar feddyg ac ar heddwas ar unwaith.

Pan gyrhaeddodd y Cwnstabl Edward Price Evans gwelodd fod gwaed yn dod o geg, trwyn a chlust chwith y wraig. Erbyn i Dr John Bowen Jones gyrraedd, roedd Rachel Stills wedi marw. Cariwyd y corff yn ôl i'r tŷ, a phan aeth PC Evans i mewn roedd y ddau frawd yn eistedd yn y gegin. Gwadodd John ar unwaith iddo wneud dim.

Cyfaddefodd George mai ef fu'n gyfrifol ac aeth ati i sychu gwaed oddi ar ei ddwylo. Roedd gwaed hefyd ar ei wasgod ac ar flaen un esgid.

Ar ôl cael ei arestio dywedodd George, 'Un ergyd yn unig rois i iddi. Cariais hi y tu allan. Ofnwn pe byddwn yn ei gadael y tu fewn y gwnawn ragor o niwed iddi.' Ond adroddodd yr archwiliad *post mortem* stori arall. Roedd gên Rachel Stills wedi'i thorri ar yr ochr dde ac wedi datgymalu ar yr ochr chwith. Gallasai fod wedi ei thorri naill ai â dwrn neu ag esgid. Gwelwyd nifer o fân doriadau a chleisiau ar ei hwyneb a'i chorff hefyd. Dangosai chwydd yn yr iau ei bod yn gaeth i alcohol. Barn Dr Jones oedd iddi farw o gael ei churio a'i dyrnu.

Ddydd Iau, 12 Medi, cynhaliodd y Crwner, Howell Cuthbertson, y Cwest yn Institiwt y Ffaldau. Wedi pum munud yn unig penderfynodd y rheithgor i Rachel Hannah Stills gael ei llofruddio ac mai ei mab, George, oedd yn gyfrifol am hynny.

Agorodd yr achos traddodi yn Llys yr Heddlu ddydd Llun, 23 Medi, a thraddodwyd George Stills i sefyll ei brawf ym Mrawdlys Morgannwg. Ddydd Iau, 21 Tachwedd, cafodd ei hun o flaen Mr Ustus Sutton yng Nghaerdydd. Cynrychiolwyd ef gan B. Francis Williams C.B. gyda J. Lloyd Morgan C.B., A.S. yn arwain dros y Goron ac A.C. Lawrence yn gwnsler iau. Clywyd fod Rachel Stills yn fenyw fechan ac eiddil. Ond byddai hyd yn oed rhywun cryfach wedi marw o ganlyniad i'r fath ymosodiad.

Tystiodd George Stills Hŷn fod ei fab wedi'i gythruddo i'r eithaf gan ei fam. Nid menyw ydoedd, meddai, ond anifail. A'i hymddygiad hi a wnaeth i'r mab gyflawni'r hyn a wnaeth. Yn ystod yr ugain mlynedd diwethaf roedd y cartref wedi troi o fod yn *Englishman's home* i fod yn ffau llewod, meddai.

Yna gofynnodd yr erlynydd iddo, 'Rydych yn dweud fod eich gwraig yn meddwi. Ydych chi'n feddwyn?'

'Nid wyf yn feddwyn ond rwy'n yfed. Mae gwraig feddw yn creu dyn gwael.'

'Ond mae dyn meddw yn medru creu gwraig wael hefyd. Mae'n gweithio y ddwy ffordd.'

'Ydi, mae hynna'n wir. Ond nid wyf fi'n feddwyn, er fy mod yn yfed.'

'Pryd ddechreuoch chi yfed?'

'Dechreuais yfed hanner can mlynedd yn ôl ond nid wy'n feddwyn.'

Clywyd chwerthin yn y llys.

Yn ei araith derfynol dywedodd Francis Williams nad oedd amheuaeth pwy oedd yn gyfrifol am farwolaeth Rachel Stills. Ond dedfryd o ddynladdiad fyddai'r dyfarniad iawn gan fod y carcharor wedi'i gythruddo gan ymddygiad ei fam. Ond wrth annerch y rheithgor, dywedodd y Barnwr na welai unrhyw dystiolaeth o gythrudd ar ran y fam ar y diwrnod tyngedfennol.

Chwe munud fu'r rheithgor allan cyn penderfynu fod George Stills yn euog o lofruddiaeth. Cyn cael ei ddedfrydu cyhuddodd Stills y tystion o ddweud celwyddau ar lw, 'mor wir â bod Duw yn Farnwr arnaf. Bydded i felltith y Nefoedd ddisgyn ar y rhai hynny sydd wedi dweud celwyddau ar lw yn eu tystiolaeth yn fy erbyn i heddiw.'

Ddydd Gwener, 13 Rhagfyr, cododd George Stills yn gynnar ac ymunodd mewn cymundeb gyda Chaplan y Carchar, y Parch. H.H. Adams, gweinidog Wesleaidd, cyn cael ei arwain i'r crocbren lle'i crogwyd ef gan y Brodyr Pierrepoint. Gwrthodwyd caniatâd i'r wasg fod yn bresennol. Gofynnodd un gohebydd i'r Parch. Adams am ei sylwadau. Ei ateb oedd, 'Edrychais, ond ni welais.'

William Sullivan

Pâr di-blant oedd David a Margaret Thomas, y ddau yn byw yn Lapstone Cottage, Penygroes Oped, Goytre, Sir Fynwy, rhwng Y Fenni a Phontypŵl. Y tu ôl i'w bwthyn rhedai'r gamlas a gysylltai Casnewydd ac Aberhonddu, gyda glan y gamlas yn ffinio â gardd y cartref.

Menyw fechan ac eiddil 48 oed oedd Margaret a gweithiai ei gŵr, a oedd yn 60 oed, fel labrwr ar Stad yr Arglwydd Treowen, Llanofer. Cadwent ieir a dau neu dri o foch.

Bore dydd Mercher, 26 Hydref 1921, cododd y ddau yn gynnar. Cawsant frecwast am 6.45 ac aeth David at ei waith cyn i'w wraig orffen bwyta. Cerddodd y ddwy filltir i Gwar y Ffawydden. Pan ddychwelodd am 5.30 sylwodd fod drws y tŷ wedi'i gloi, ond meddyliodd fod ei wraig wedi picio i'r pentref i nôl dŵr. Yna sylwodd nad oedd yr ieir wedi eu gollwng allan na'r moch wedi'u bwydo.

Ymhen ychydig dringodd ysgol er mwyn mynd i'r tŷ drwy ffenest y llofft. Wedi iddo ddisgyn y grisiau gwelodd ei wraig yn gorwedd ar lawr y gegin, ei chorff wedi'i orchuddio'n rhannol gan gwilt gwaedlyd. Yn ymyl y corff roedd bollt rheilffordd. Yn amlwg roedd Margaret wedi dioddef ymosodiad ffyrnig, a'r bollt oedd yr arf a ddefnyddiwyd. Cyn iddo redeg i'r pentref sylwodd David fod y llestri brecwast heb eu golchi.

Dychwelodd y gŵr gyda'r Cwnstabl Owen Preece. Gwelwyd fod pwrs yn cynnwys arian yn eisiau o'r tŷ, yn ogystal â dwy wats, pâr o sgidiau a siwt las tywyll, un a wisgai David Thomas ar ddyddiau gŵyl. Yn y gegin gwelwyd hen bâr rhacs o sgidiau a thun fel y rhai a ddefnyddid gan grwydriaid i ferwi dŵr. Ar y tun roedd olion llosg ac ynghlwm wrtho roedd gwifren gopr lân. Yna, ddeuddydd yn ddiweddarach, tra oedd yn chwilio am ei dystysgrif priodas, canfu David hances goch a gwyn tebyg i rai a wisgid gan grwydriaid. Holwyd nifer o grwydriaid ac arestiwyd un, John Coughlin, 61 oed ond rhyddhawyd ef yn fuan.

Canfu archwiliad *post mortem* gan Dr E.T. Lloyd mai achos y farwolaeth oedd anafiadau difrifol i'r benglog. Digwyddodd y farwolaeth o fewn awr i Mrs Thomas fwyta'i brecwast gan nad oedd y bwyd yn y stumog wedi'i dreulio.

Yna daeth William Sullivan i sylw'r heddlu, gŵr 40 oed o Gwmbrân a fu'n gymysgwr mewn gwaith dur ar lannau'r gamlas. Ymunodd â'r fyddin yn 1901, ac yno y bu hyd ddechrau'r Rhyfel Mawr pan drosglwyddwyd ef i'r Gwersylloedd Llafur yn 1917. Pan ryddhawyd ef yn 1919, dychwelodd i Sir Fynwy gan grwydro'r ffyrdd o un wyrcws i'r llall. Cysgai'r nos ar styllod y tu allan i ffwrneisi golosg Celynnen yng nghwmni crwydriaid eraill, cynifer â 40 ohonynt. Arferent adael y lle pan gyrhaeddai'r gweithwyr am 6.00 o'r gloch y bore. Ond weithiau cysgai Sullivan ar lannau'r gamlas.

Roedd Sullivan wedi'i weld yng nghyffiniau'r gamlas ar ddiwrnod y llofruddiaeth. A phum diwrnod cyn hynny roedd wedi gofyn am ddracht o ddŵr gan ddyn llaeth, George Henry Smith. Wrth arllwys dŵr i dun Sullivan roedd Smith wedi sylwi ar y weiren gopr lân a oedd ynghlwm wrth y llestr a bod y cardotyn yn gwisgo côt fawr.

Gwelodd Smith ef eto tua 5.30 ar fore'r llofruddiaeth yn cerdded i gyfeiriad Lapstone Cottage ac yna'n dychwelyd deirawr yn ddiweddarach.

Gwelwyd ef hefyd yn nhafarn y *Forge Hammer*, Cwmbrân, heb gôt ond yn gwisgo siwt las tywyll a sgidiau trwsiadus gyda chareiau duon. Prynodd beint o gwrw am wyth geiniog, mwy nag yr arferai ei brynu, a thalodd â hanner coron. Yna gadawodd y lle cyn dychwelyd gyda'i frawd, Michael a'i chwaer a'i frawd-yng-nghyfraith, Julia a James Callow. Roedd Callow a Sullivan yn hen gymrodyr o faes y gad yn Arras, Gogledd Ffrainc, yn 1917. Prynodd Sullivan ddiod i'r tri gan dalu 6s. 8d. am y rownd. Mynnai el frawd yn ddiweddarach fod Sullivan yn gwisgo cot frown ar y pryd. Ond cofiai ei chwaer iddo fod yn gwisgo siwt las tywyll. Mynnodd Sullivan iddo gael y siwt gan hen wraig ym Mhantypwdin.

Yna clywodd yr heddlu i Sullivan, ar ddydd Gwener, 11 Tachwedd, werthu siaced am 2s. 6d. a phâr o sgidiau am 2s. 0d. i wraig glöwr, Mrs Groves yn Stryd Albion. Yna dychwelodd a gwerthodd wasgod a throwsus i fynd gyda'r siaced i'w gŵr, Richard Groves, am naw ceiniog.

Roedd y rhwyd yn cau. Arestiwyd Sullivan gan y Cwnstabl Poulter a'i ddanfon i sefyll ei brawf ym Mrawdlys Sir Fynwy ar 7 Chwefror 1922 o flaen yr Ustus Darling. Arthur Powell C.B. a Lot Williams A.S. o dan gyfarwyddyd Ross Pashley oedd yn erlyn, gyda S.R.C. Bosanquet, dan gyfarwyddyd W.J. Ernest, Pontypŵl, yn amddiffyn. Ymhlith aelodau'r rheithgor roedd dwy fenyw. Oherwydd natur yr achos cawsant gynnig i esgusodi eu hunain, a dyna a wnaethant. Plediodd Sullivan yn ddieuog.

Tystiodd David Thomas i'w adnabyddiaeth o'r pwrs a'r dillad. Ceisiodd yr amddiffyniad awgrymu mai Thomas oedd y llofrudd. Ymhlith cwestiynau eraill, gofynnwyd iddo pam y bu'n chwilio am ei dystysgrif priodas. Esboniodd ei fod am dynnu arian allan o gownt yn y Swyddfa Bost. Roedd £97 yn y cownt. Esboniodd fod gan ei wraig £30 pan briododd y ddau a bod £67 arall wedi ei gynilo o'i enillion ef.

Esboniad Sullivan o'r arian yn ei feddiant ef oedd iddo gael ei dalu naw swllt am gario glo. Gwadodd iddo werthu dillad i Mr a Mrs Groves. Yna ceisiodd greu *alibi* i brofi na ellid bod wedi ei weld yng nghyffiniau Lapstone Cottage ar yr adeg y llofruddiwyd Mrs Thomas. Drylliwyd hyn gan grwydryn arall, Fred Stuart.

Roedd chwaer Sullivan wedi tystio fod ei brawd yn edrych yn gwbl dawel ei feddwl ganol dydd y llofruddiaeth. Esboniad yr erlyniad i hynny oedd fod Sullivan, fel cyn-filwr, wedi lladd Almaenwyr yn ystod y Rhyfel Mawr a'i fod, felly, yn gyfarwydd â thywallt gwaed heb deimlo unrhyw euogrwydd.

Bu'r rheithgor yn ystyried am ddwy awr a hanner cyn dychwelyd dedfryd o 'euog'. Cymeradwyodd y Barnwr y tyst Richard Groves am fynd â gwybodaeth i'r heddlu o'i wirfodd. Apeliodd Sullivan yn aflwyddiannus yn erbyn y ddedfryd a chrogwyd ef ddydd Iau, 23 Mawrth 1922, yng Ngharchar Brynbuga, yr olaf i'w ddienyddio yno.

Yr un bore cynhaliwyd cwest ar ei farwolaeth, a thra oedd Rheolwr y Carchar, Cecil Lewis Ball, yn tystio gofynnwyd iddo gan un o'r rheithwyr a oedd Sullivan wedi gwneud cyfaddefiad cyn ei grogi? Yr ateb oedd, 'Na'. Gofynnodd aelod arall o'r rheithgor a gaent weld y crocbren? Yr ateb unwaith eto oedd, 'Na'.

Tystiodd meddyg y carchar, Dr E.L.M. Hackett M.C., i farwolaeth William Sullivan fod yn un ddisyfyd.

George Thomas

Nid yn aml y ceir ymosodiad ar rywun wrth ddrws capel adeg yr oedfa nos Sul. Ond dyna ddigwyddodd i ferch ifanc 19 mlwydd oed y tu allan i ddrws Capel Soar ym Mhontlotyn ger Merthyr Tudful.

Wrth i oedfa hwyrol y capel gychwyn ar 6 Rhagfyr 1925 ymosodwyd ar Marie Beddoe Thomas wrth iddi hi a'i ffrind, Harriet Maud Lewis, fynd i'r oedfa. Trywanwyd Marie â chyllell drwy ei chalon a bu farw ar unwaith. Roedd dyn ambiwlans, Lewis Woods, yn y capel ar y pryd ond, er ei holl ymdrechion, bu farw Marie.

Y llofrudd oedd ei chyn-gariad, George Thomas, ac ar ôl trywanu'r ferch ddwywaith, gwthiodd y gyllell i'w frest ei hun a gollyngodd y gyllell. Yn dystion i'r cyfan oedd brawd a chwaer, Gwilym Rees, Stryd Dyffryn a Jane Jones. Pan welsant fod Thomas yn ceisio ailafael yn y gyllell, cydiodd y ferch ynddi a'i rhoi i'w brawd. Gwaeddodd Thomas, 'gadewch i fi farw'. Rhuthrwyd ef i Ysbyty Aberbargoed lle gwelwyd fod blaen y gyllell wedi taro yn erbyn un o'i asennau.

Dyn sengl oedd George Thomas yn byw gyda'i fam weddw yn rhif 47 Heol McDonnell, Pontlotyn. Bu farw ei dad yn nhanchwa Senghennydd fis Hydref 1913 pan gollodd 439 o ddynion a bechgyn eu bywydau. George oedd bellach yn cynnal y cartref. Roedd wedi bod yn filwr yn y

Rhyfel Mawr, a dywedwyd ei fod wedi newid yn ddirfawr o ganlyniad i'w brofiadau.

Roedd Marie yn byw gyda'i rhieni yn Stryd y Gwin, Pontlotyn. Gweithiai gyda'i hewythr, W.R. Beddoe. Roedd hi'n aelod o gôr yr eglwys ac o Gymdeithas Ddrama Abertyswg. Ar y dydd Sul y collodd ei bywyd, roedd hi wedi bod mewn ysgol gân yn y capel.

Dechreuodd y garwriaeth rhwng Marie a George flwyddyn ynghynt a gwelwyd y ddau yn aml yng nghwmni ei gilydd. Ond ymhen tri mis, oerodd ei theimladau hi tuag ato a daeth y garwriaeth i ben. Cafodd Marie ac yntau gariadon newydd. Eto i gyd, cadwent mewn cysylltiad drwy lythyron a gâi eu cludo rhwng y naill a'r llall gan Lena Francis, ffrind i Marie. Ymhen deufis dechreuodd y ddau gwrdd eto heb yn wybod i neb.

Cadwyd George yn yr ysbyty hyd 28 Rhagfyr pan gyhuddwyd ef o lofruddiaeth. Ar y diwrnod cyntaf o'r flwyddyn newydd, traddodwyd ef i sefyll ei brawf ac ymddangosodd o flaen Mr Ustus Fraser ym Mrawdlys Caerdydd. Artemus Jones C.B. oedd yn cynrychioli'r Goron gyda T.W. Langman yn amddiffyn.

Tystiodd Dr John Jones i'r ferch farw o waedlif a sioc a achoswyd gan ddau anaf, un ar yr ochr dde o'i chefn rhwng y seithfed a'r wythfed asen, a'r anaf yn bedair modfedd o ddyfnder, ac un llai ychydig yn is. Yna tystiodd haearnwerthwr, David Sollis o'r Bargoed, fod rhywun tebyg i Thomas wedi dod i'w siop ddydd Gwener, 4 Rhagfyr, gan fynnu prynu cyllell gyda charn du oedd yn y ffenest.

Neilltuwyd rhan helaethaf o dystiolaeth yr erlyniad i gyfres o lythyron rhwng George a Marie, yn arbennig y rhai oddi wrth George. Dyma un oddi wrth Marie at George:

'Anwylyd,

Does dim byd o'i le mewn ysgrifennu at ein gilydd, oes yna? O, rwy'n gwybod ein bod ein dau wedi dyweddïo ac ati, ond nid oes niwed o gwbl i ni yn unig ond gofyn i'n gilydd sut ydym yn cadw o ran iechyd yn awr ac yn y man, oes yna?'

Mewn llythyr arall ato dywedodd Marie iddi ddeall oddi wrth rywun arall fod George yn edrych yn ddiflas. Teimlai hithau'n ddiflas hefyd a byddai'n rhoi unrhyw beth, meddai, i'w esmwytho a'i gysuro fel o'r blaen pan oeddynt yn gariadon. Cofiai'r amser gynt, meddai, pan oedd y ddau mor hapus cyn i eraill geisio ymyrryd yn eu trefniadau.

Yna, a hithau ar ei gwyliau yn Southerndown, ysgrifennodd at George yn dweud fod ei lythyr iddi yn nythu y tu mewn i'w ffrog yn agos at ei chalon. Aeth ymlaen:

'Mae'n peri cryndod i mi feddwl y byddaf, yn fuan, yn Mrs – ond rwyt ti'n gwybod Mrs beth. Dydw i ddim yn crynu am fod ofn arnaf. Rwy'n crynu o lawenydd a gorfoledd. Oni fyddwn mor hapus drwy'r dydd pan fyddwn yn briod.'

Nodwedd llythyron Marie oedd eu dyfnder teimlad a'u disgrifiadau coeth a chelfydd. Gallasai Marie yn hawdd fod wedi datblygu i fod yn awdures wironeddol dda. Yna, mewn llythyr arall, fe ymatebodd i honiadau fod ei chariad newydd yn ei churo. Doedd dim gwirionedd yn hyn, meddai. Roedd hi wedi dweud celwydd wrth George drwy honni'r fath beth, meddai.

Mewn ateb iddi drwy law Lena Francis, dywedodd George yr ofnai nad ef oedd y gŵr a arferai fod. Ysgrifennodd hefyd nifer o lythyron i Lena ei hun yn mynegi ei iselder a'r ffaith fod ei gariad at Marie yn ei ddifetha. Bymtheng niwrnod cyn y llofruddiaeth ysgrifennodd at Lena yn dweud mai'r unig beth yn ei galon oedd ei gariad at Marie ac na fyddai'n hir cyn yr atebai'r camwri a'r anghyfiawnder mawr a achoswyd iddo. Yna, mewn llythyr arall at Lena, dywedodd fod ei ddydd yn dod, a hynny'n fuan. Roedd y diafol ynddo wedi ei ddihuno.

Mewn llythyron i'w gyfaill Justus ac i Lena proffwydodd y byddai ef a Marie'n farw erbyn i Justus a Lena dderbyn y llythyron. Ysgrifennodd at fam Marie yn dweud rhywbeth tebyg.

Tra oedd yng ngharchar ysgrifennodd ddau lythyr arall at fam Marie yn dweud ei fod yn edrych ymlaen at farw fel y gallai ef a Marie fod gyda'i gilydd. 'Trueni na wnes i garu'n llai, yna ni fyddai hyn wedi digwydd,' meddai. 'Mae fy nyddiau'n mynd yn fyrrach.' Gorffennodd y llythyr gyda phennill i Marie.

Ceisiwyd profi yn y llys fod George Thomas yn wallgof. Tystiodd ei fam fel y collodd ei gŵr yn nhrychineb Senghennydd ac fel y collodd ei merch ei synhwyrau o'r herwydd. Tystiodd hefyd i'w mab ddod adref o'r Rhyfel Mawr yn ddyn gwahanol a'i fod yn dioddef o gur pen yn aml ac o iselder ysbryd. Unwaith clywsai ef yn taflu rhywbeth yn ei ystafell a phan ofynnodd iddo beth oedd wedi digwydd, ei ateb oedd, 'Taflu bomiau'.

Ond tystiodd meddyg y carchar, Dr Ronald F. Jarrett, nad oedd Thomas wedi dangos unrhyw arwydd o wallgofrwydd yn ystod yr amser y bu dan ei ofal. Cymhelliad bargyfreithiwr y cyhuddedig oedd i'r rheithgor ddychwelyd dedfryd o 'euog ond yn wallgof' ond esboniodd y Barnwr mai bwriad yn hytrach na chymhelliad oedd yn hanfodol yn y fath achos. Bu'r Barnwr yn annerch am awr a threuliodd y rheithgor dri chwarter awr yn trafod cyn dychwelyd dedfryd o 'euog'. Ni wnaeth Thomas apelio.

Yn amlwg, roedd am farw.

Ar noswyl ei grogi yng ngharchar Caerdydd dywedodd George Thomas wrth ei fam, 'Fe all unrhyw un gymryd fy nghorff, ond ni all neb gymryd fy enaid. Caiff fy nghorff ei gladdu yma, ond mae fy enaid gyda Marie.'

Crogwyd ef ddydd Mawrth, 9 Mawrth 1926, gan Robert Baxter, a hwnnw'n cael ei gynorthwyo gan Thomas Phillips o Gaerffili.

Graham Thomas

Gŵr gweddw oedd Henry James Noot a drigai yn Pendower, rhif 68 Heol Trallwm, Llwynhendy gyda'i ferch a'i fab-yng-nghyfraith. Roedd ganddo fab hefyd. Lladdwyd ei wraig mewn damwain ffordd yn 1959.

Erbyn mis Hydref 1962 roedd Henry yn 61 mlwydd oed ac wedi gweithio i'r *Welsh Tinplate and Metal Stamping (Cambrian Works)* yn Stryd Cambrian, Glanymôr, Llanelli er pan oedd yn 13 mlwydd oed. Erbyn hyn roedd yn un o oruchwylwyr y shifftiau.

Gweithiai 472 o staff yn y *Stamping*, fel y'i gelwid, 227 ohonynt yn ferched. Un o'r rheiny oedd Nancy Valerie Cole, 33 oed, o rif 1 Stryd Caroline, Llanelli a weithiai yn yr adran enamel ar ôl bod yn y gwaith er pan oedd yn 14 oed. Roedd ganddi gariad, labrwr di-waith o'r enw Graham Thomas, o rif 1 Bythynnod Doc Nevill, Llanelli.

Ddydd Iau, 4 Hydref 1962, roedd Kenneth Thomas, cymydog i Henry James Noot yn Heol Trallwm, Llwynhendy, yn y gwaith pan sylwodd, tua 6.15 y prynhawn, fod drws cefn yr adeilad ar agor. Wrth gau'r drws gwelodd Graham Thomas yn sefyll y tu allan. Gofynnodd hwnnw iddo a fyddai'n fodlon gofyn i Nancy Cole ddod allan i siarad ag ef. Sylwodd Kenneth Thomas fod morthwyl yn ei law a gwaed ar ochr ei wyneb. Roedd golwg ryfedd ar ei wyneb, a chan wybod am natur wyllt y gŵr, aeth â'r neges i'r ferch.

Bu Nancy allan gyhyd fel i'w chydweithwyr ddechrau pryderu. Tynnwyd sylw'r fforman, Douglas Arthur Jones, ac aeth hwnnw at Harry Noot. Aeth y ddau ddyn allan a gweld Nancy'n siarad gyda Graham Thomas. Roedd y ddau ym mreichiau ei gilydd ac yn pwyso ar wal. Aeth Noot a Jones tuag atynt. Awgrymodd Noot y dylai Nancy fynd yn ôl at ei gwaith. Gwylltiodd Graham Thomas ac ymosododd ar y ddau ddyn gan eu cicio. Hefyd curodd Noot o dan ei ên. Yna tynnodd forthwyl allan o dan ei gôt a cheisiodd daro Jones â hwnnw. Llwyddodd i'w daro yn ei ben. Cydiodd Noot mewn darn o bren a cheisio helpu Jones. Daliodd Jones ar y cyflc i ddianc a gwaeddodd ar I Noot wneud yr un peth.

Wrth ddianc, llithrodd Noot. Pan edrychodd Jones yn ôl, gwelodd fod Graham Thomas yn taro Noot â'r morthwyl tra oedd Noot ar y llawr yn gweiddi, *'Get off! Get off!'*. Llwyddodd Jones i hysbysu'r heddlu ar y ffôn gan ofyn am feddyg ac ambiwlans. Galwodd hefyd am o leiaf bedwar o ddynion o'r adran enamel i fynd i helpu Noot. Pan gyrhaeddodd y dynion ambiwlans roedd Noot yn gorwedd lle gwelwyd ef ddiwethaf gydag anafiadau difrifol i'w wyneb a'i ben, a'i wyneb wedi'i ddyrnu'n fflat. Doedd dim sôn am Thomas. Aethpwyd â Noot i Ysbyty Cyffredinol Llanelli ond bu farw yn yr ambiwlans ar y ffordd yno.

Gwelodd y Patholegydd, Dr William Reginald Lester James, fod esgyrn trwyn Noot, yr ên uchaf a chefn y benglog wedi eu torri. Roedd yr ymosodiad yn un mor ffyrnig nes peri i waed dasgu 21 troedfedd o'r corff a hyd at chwe throedfedd i fyny'r muriau. Roedd y morthwyl torri glo a ddefnyddiwyd yn pwyso dau bwys a dwy owns.

Tystiodd Nancy Cole i Thomas ddweud wrthi y tu allan i'r gwaith ei fod 'wedi gwneud rhywbeth i'w fam', a bygythiodd ladd Nancy. Dywedodd wrthi ei fod hefyd yn mynd i ladd ei hun.

Deallwyd i Thomas fod yn yfed yn nhafarnau'r Doc yn y prynhawn ac yna wedi mynd ymlaen i westy'r *Station* yng Nghasllwchwr lle'r oedd y tafarnau dros y ffin yn Sir Forgannwg ar agor tan bedwar yn y prynhawn. Roedd Thomas wedi dychwelyd gyda ffrind, Melville Price o Lanymôr, Llanelli i gaffi'r *Broadway*. Gerllaw roedd llwyth o lo, ac wrth geisio neidio dros y llwyth roedd Thomas wedi syrthio a brifo'i wyneb. Yna bu ef a Price mewn sgarmes â chyfreithiwr, Leslie Rees. Ceisiwyd eu hatal gan Glyn Davies, pencampwr bocsio pwysau bantam Cymru, a oedd yn digwydd bod yno. Yna gwelodd Thomas blismon, a rhoddodd Thomas y gorau i'w fygythiadau.

Arestiwyd Thomas y noson honno gan Roy Davies (yr awdur) yn nhafarn y *Friends* yn agos i'r *Tin Stamping*. Gwadodd iddo ymosod ar Henry Noot, ond roedd olion gwaed ar ei ddwylo a'i ddillad. Mynnodd orffen ei beint cyn i feddyg ei archwilio a chanfod nad oedd unrhyw anaf ar ei gorff a allai gyfrif am y gwaed oedd arno. Canfuwyd ffibrau o dan ei ewinedd.

Pan gyhuddwyd ef yn ffurfiol y bore wedyn, cyfaddefodd Thomas y cyfan ond gan ychwanegu nad oedd wedi bwriadu lladd Henry Noot. Roedd crogi'n dal mewn grym, ond dan Gymal 5 o'r *Homicide Act 1957* pennwyd dau fath o lofruddiaeth, llofruddiaeth seml a phrif lofruddiaeth, yr ail yn teilyngu'r gosb eithaf. Elfennau prif lofruddiaeth oedd: llofruddio wrth gyflawni neu hyrwyddo lladrad; llofruddio drwy saethu neu achosi ffrwydrad; llofruddio wrth wrthsefyll arest cyfreithiol neu wrth gynorthwyo dianc o gaethiwed cyfreithiol; llofruddio heddwas neu ei gynorthwywr tra yng ngweinyddiad ei ddyletswydd; a llofruddiaeth swyddog carchar neu ei gynorthwywr tra yng ngweinyddiad ei ddyletswydd gan garcharor. Byddai ail lofruddiaeth gan yr un person ar wahanol achlysuron hefyd yn teilyngu'r gosb eithaf. Ond ni ddeuai llofruddiaeth Noot o fewn y Cymal.

Mae'n debyg fod effaith y ddiod y diwrnod hwnnw ar Graham Thomas wedi bod yn ddigon iddo fel y gallai ladd rhywun am y rheswm lleiaf. Bu'r cyfreithiwr, Leslie Rees, yn ffodus i ddianc â'i fywyd.

Bu'r achos traddodi o flaen Ynadon Llanelli ddydd Mercher a dydd Iau, 7 ac 8 Tachwedd. Cadeirydd y Fainc oedd y Cyrnol W.T. Woods a thraddodwyd Thomas i sefyll ei brawf ym Mrawdlys Sir Gaerfyrddin. Safodd o flaen y Barnwr, Mr Ustus Howard. Ac er i'w dîm cyfreithiol wneud eu gorau i'w ddarbwyllo i bledio'n ddieuog, mynnodd bledio'n euog. Dywedodd Alun Talfan Davies C.F. wrth y Barnwr iddo esbonio popeth i Thomas ond yr oedd am bledio'n euog i lofruddiaeth. Tair munud yn unig barodd yr achos ac anfonwyd Graham Thomas i garchar am oes.

Rhyddhawyd ef yn 1976 a daeth yn ôl i fyw yn Llanelli. Yn fuan wedyn priododd â Nancy Cole, a arhosodd yn ffyddlon iddo.

Achosodd lladd Henry Noot newid yn nhrefniadau gwaith y *Tin Stamping*. Arferai'r merched cyn noson y llofruddiaeth weithio dwy shifft. Ond o hynny ymlaen, ni châi'r merched ond gweithio shifft ddydd yn unig.

Caroline Williams

I Caroline Williams yr aeth y fraint amheus o fod y fenyw olaf yng Nghymru i'w dedfrydu i'w chrogi. Bu'n ddigon ffodus i'r ddedfryd gael ei lleihau i garchar am oes.

Trigai Caroline Williams, 48 ocd, gyda'i gŵr yn rhif 19 Stryd Sgotland, Llanrwst. Roedd hi o dras y sipsiwn ac yn anllythrennog. Roedd hi'n fam i saith o blant, ac yn eu plith roedd pâr o efeilliaid. Roedd William, y gŵr, 20 mlynedd yn hŷn na hi. Brodor o Fwcle oedd ef ond wedi symud yn ifanc iawn gyda'r teulu i Cerney lle bu'n gweithio yng Ngwaith Glo Westminster. Yno dioddefodd ddamwain ddifrifol a'i gadawodd yn rhannol ffaeledig. Wedi hynny bu'n byw yn y Ffrwd ac yn y *Beast Market* yn Wrecsam cyn symud i Groesoswallt ac yna Llanrwst yn 1929. Daeth yn enwog fel pedler yn y dref.

Trigai George, trydydd mab Caroline a William, yn rhif 1 Teras Capel Curig, gefn wrth gefn i dŷ ei rieni. Fore Dydd Nadolig 1937 aeth George a'i frawd iau, Henry, a'u cefnder, Robert George Lovell, i ddathlu yn nhafarndai'r dref. Y lle olaf iddyn alw ynddo oedd y *Queens*, Heol yr Orsaf. Pan adawsant am 2.00 o'r gloch y prynhawn aethant i gartref Caroline a William. Yno bu Caroline yn chwarae'r melodeon tra oedd William yn canu carolau. Gadawodd George ymhcn ychydig. Yna gadawodd y ddau arall a mynd i gartref George. Rhoddodd Caroline swllt i'w gŵr i nôl diod ac ymddangosai popeth yn heddychlon.

Yna, ychydig wedi 4.00, galwodd Caroline ar George i weld beth oedd wedi digwydd i'w dad. Rhedodd hwnnw yno a gwelodd ei dad yn hanner eistedd a hanner gorwedd ger y lle tân, ei ben yn gorffwys ar ei gadair-wely a gwaed drosto. Roedd briw ar yr ochr chwith i'w wddf. Galwyd ar Dr Arthur Thomson Hill. Doedd dim y gallai hwnnw ei wneud. Esboniad Caroline oedd i'w gŵr ddisgyn ger y ffender.

Yn yr archwiliad *post mortem* brynhawn drannoeth, a gynhaliwyd gan Dr Donald Irvine Currie ym mhresenoldeb Dr Hill, yr Uwch Arolygydd Tomkins a'r Arolygydd Lewis, canfuwyd fod prif wythïen gwddf William Williams wedi'i thorri. Yn y tŷ cafwyd cyllell a gyfatebai i'r archoll dair modfedd o ddyfnder a oedd o dan y glust dde. Byddai William wedi marw o fewn 15 munud i'r ymosodiad.

Gan mai dim ond Caroline oedd yn y tŷ adeg y farwolaeth, fe'i harestiwyd yn nhŷ ei merch a'i mab-yng-nghyfraith, rhif 21 Stryd Gul. Yn ddiweddarach galwodd mab iddi, Edward, a gofynnodd hwnnw iddi ddweud y gwir gan ofyn iddi a oedd ei dad a Bob Lovell, sef brawd-yng-nghyfraith ei fam, wedi bod yn ymladd. Ymhen ysbaid cadarnhawyd hynny gan y fam.

Trannoeth galwodd Caroline Williams ar y Cwnstabl Arthur Thomas i'w chell gan fynnu fod Lovell wedi trywanu William cyn rhoi'r gyllell i'w wraig i'w glanhau. Roedd honno wedi'i throsglwyddo i rywun arall i'w glanhau. Arwyddodd Caroline y datganiad gyda chroes rhwng y geiriau 'ei nod'.

Stori Caroline oedd i Lovell gweryla â'i gŵr cyn ei daro â chyllell. Roedd hi wedi llwyddo i gael y gyllell oddi arno a'i rhoi i Elsie, ei merch-yng-nghyfraith, sef gwraig George. Dywedodd fod Henry Williams a Robert Lovell yn y tŷ ar y pryd. Arestiwyd Bob Lovell, a drigai yn Stryd Gul, a'i gadw yn y ddalfa.

Stori wahanol gafwyd gan Bob Lovell, a ddisgrifiwyd fel *glass and china rivetter*. Dywedodd iddo ef a'i wraig a Caroline Williams fynychu nifer o dafarndai fore dydd Nadolig. Yna roedd ef a'i wraig wedi mynd adre ac i'r gwely cyn iddo godi ddiwedd y prynhawn i fynd i gartref y teulu Williams. Pan gyrhaeddodd, roedd William eisoes yn farw.

Roedd Lovell wedi ceisio diosg dillad ei dad-yng-nghyfraith ond wedi gorfod defnyddio cyllell i wneud hynny, cyllell y cyfeirid ati gan Caroline fel 'fy nghyllell warchod'. Cafwyd tystiolaeth gan ei feich, Violet Taylor, Plas Bryn Ora, Y Rhyl a chwaer Lovell, Emily, iddynt weld Caroline droeon yn bygwth William â'r gyllell honno. Cadarnhaodd Elsie, gwraig George, iddi hi weld Lovell yn defnyddio'r gyllell er mwyn ceisio diosg dillad y trancedig.

Clywyd fod William Williams wedi dod adre'n feddw ac yn rhegi ar brynhawn dydd Nadolig. Roedd cymydog wedi ei glywed yn nôl dŵr o'r tap tua 3.50. Buan y sylweddolwyd fod Robert Lovell yn hollol ddiniwed ac mai ymdrech gan Edward Williams i achub ei fam oedd y cyhuddiad.

Ymddangosodd Caroline Williams o flaen Ynadon Llanrwst ddydd Mercher, 29 Rhagfyr. Wedi iddi gael ei chyrchu i Swyddfa'r Heddlu dywedodd wrth y Metron wrth gael ei harwain i'r gell: 'Llofruddiaeth fwriadol! Mae hyn yn ddychrynllyd!' Ceisiodd y Metron ei chysuro gan ddweud wrthi am beidio â gofidio. Ei hateb oedd, 'Gofidio! Yr hongian wy'n ei ofni.'

Ymddangosodd o flaen Brawdlys Rhuthun ddydd Gwener, 4 Chwefror 1938, o flaen Mr Ustus Atkinson gyda Ralph Sutton C.B. yn erlyn a C. Temple Morris C.B., yr A.S. Torïaidd dros Ddwyrain Caerdydd, yn amddiffyn. Cyn i'r achos agor aeth y Barnwr â George Williams i stafell breifat i sgwrsio ag ef ym mhresenoldeb Ralph Sutton. Ni ddatgelwyd yr hyn a drafodwyd.

Erbyn hyn roedd yr honiad yn erbyn Robert Lovell wedi'i ollwng. Dadl yr amddiffyniad oedd i William Williams ladd ei hun, fel ei fam o'i flaen. Mynnai George Williams iddo glywed ei dad yn bygwth gwneud hynny. Roedd tad William hefyd wedi ei ganfod 'yn farw'. Ond penderfynodd y rheithgor fod Caroline Williams yn euog, gydag argymhelliad am drugaredd. Dedfrydwyd hi i'w dienyddio. Apeliwyd ar y sail fod y Barnwr wedi camarwain y rheithgor wrth grynhoi. Gwrthodwyd yr apêl gan yr Ustuslald Chailes a Goddard.

Yna aeth cyfreithwyr Caroline Williams at Megan Lloyd George, yr Uwch Gapten Goronwy Owen a Robert Richards am gymorth. Cyflwynwyd deiseb i'r Ysgrifennydd Cartref, Syr S. Hoare, a chynghorodd hwnnw'r Brenin i atal y dienyddio. Fe'i carcharwyd hi, felly, am oes.

Cyn achos Caroline Williams roedd 250 mlynedd wedi mynd heibio ers i fenyw gael ei dedfrydu i dderbyn y gosb eithaf yn Sir Ddinbych a 40 mlynedd ers i hynny ddigwydd i'r dyn olaf yn y sir. Roedd dwy flynedd wedi mynd heibio ers crogi'r fenyw olaf ym Mhrydain wedi i'r Nyrs Dorothea Nancy Waddingham, mam i bump o blant, gael ei phrofi'n euog o lofruddio person ffaeledig 50 oed oedd dan ei gofal. Yr un flwyddyn, ym Mrawdlys Dorset, dedfrydwyd Charlotte Bryant, a oedd hefyd yn fam i bump o blant, i farwolaeth am lofruddio'i gŵr drwy ei wenwyno ag arsenic.

Brian Wright

Dynes fechan iawn oedd Mary Jane Williams, dim ond pedair troedfedd a deg modfedd o daldra ac ond yn pwyso pum stôn. A hithau'n 80 oed, anaml iawn yr âi allan o'r tŷ. Ei byd oedd ei chartref. Byddai ei harferion yn ddigyfnewid o un dydd i'r llall. Codai yn y bore rhwng 10.00 a 10.30, byddai wedyn yn cynnau'r tân a berwi'r tegell i wneud te. Yna arhosai yn y tŷ yn rhif 16 Stryd Fawr, Llanelli drwy'r dydd os na fyddai'n ddiwrnod siopa – dydd Mercher a dydd Sadwrn.

Hyd yn oed wrth siopa byddai ei harferion yn dilyn yr un patrwm. Byddai'n troi i Siop Sarah Jane yn Heol Lakefield, tua 50 llath o'i chartref, rhwng 1.55 a 2.00 o'r gloch. Gwnaeth hynny ar y diwrnod cyn ei llofruddio pan brynodd ei negeseuon arferol: menyn, tatws, sebon, bisgedi *Osbourne*, caws, pys a thorth o fara. Yr olaf i'w gweld yn fyw, a hynny ar brynhawn dydd Sadwrn, 18 Chwefror 1967, oedd gwraig y siop.

Canfuwyd corff Mary Jane am 3.00 y prynhawn wedyn yn ei chartref. Roedd yn ei dillad bob dydd ond roedd dwy hosan dros ei cheg, un wedi'i chlymu â chwlwm dwbl a'r llall â thri chwlwm y tu ôl i'r gwddf. Roedd y llygaid a'r amrannau'n ddu gan gleisiau ac asgwrn yr ên uchaf ar yr ochr chwith wedi'i dorri a gwaed wedi llifo o'i cheg.

Bu arferion rheolaidd a digyfnewid Mary Jane yn

gymorth mawr i'r heddlu i sefydlu amser y llofruddiaeth. Ni dderbyniai bapur dyddiol ond câi fenthyg un Mrs Gillman drws nesaf, ei chymdoges agosaf. Ni alwai'r dyn llaeth gan nad oedd yr hen wraig yn yfed llaeth. Yr unig ddynion busnes i alw fyddai'r dyn glo a'r dyn olew. Dibynnai Mary Jane ar olau lamp. Cadwai danllwyth o dân bob amser a phan fyddai angen cyflenwad o lo, ysgrifennai at Daniel Phillips, Doc Newydd. Yna deuai un o'r gwerthwyr â thunnell ar y tro iddi, a hynny dair neu bedair gwaith y flwyddyn.

Am 6.00 o'r gloch y nos byddai'r hen wraig wedi berwi'r tegell i lenwi ei dwy botel ddŵr poeth alwminiwm a'u gosod yn ei gwely. Cadwai'r lamp olew bob amser ar silff y ffenest tan 8.00 o'r gloch, pan fyddai'n cynnau'r lamp. Rhwng 8.00 a 9.00 o'r gloch byddai'n darllen ei hunig lyfr, y Beibl. Yna, yn union am 9.00, ail-lenwai'r ddwy botel alwminiwm. Ac wedi cynhesu ei gwely'n drwyadl, âi iddo am 11.00.

Roedd Mary Jane Williams yn wraig ddarbodus a chynnil. Ni wyddai neb beth oedd ei sefyllfa ariannol, ond cadwai ei holl arian yn y tŷ. Roedd ganddi o leiaf £700 bum mlynedd cyn ei marwolaeth pan aeth i Fanc y Midland ar 13 Mawrth 1962 i newid hen bapurau punnoedd am rai newydd wedi i Fanc Lloegr alw'r hen bapurau i mewn. Yn eu lle cyhoeddwyd rhai yn cario llun pen y Frenhines a llofnod ffacsimili L.K. O'Brien, prif ariannwr Banc Lloegr ar y pryd.

Pan ganfuwyd ei chorff sylwyd fod y lamp olew ar silff y ffenest heb ei goleuo a'r pabwyr wedi'i ostwng, hynny'n dynodi iddi gael ei lladd cyn 8.00 o'r gloch nos Sadwrn a rhywbryd wedi 2.00 y prynhawn pan aeth i'r siop. Cafwyd arwyddion i'r llofrudd chwilio drwy'r tŷ. Roedd matras wedi'i chodi, ond mewn gwahanol ddroriau daethpwyd o hyd i gyfanswm o £315 9s 6d. Yn amlwg, lladrad oedd y bwriad.

Galwyd am wasanaeth Scotland Yard a daeth y Ditectif Brif Arolygydd Maurice Walters, Cymro o Bontypridd, i arwain y tîm o dditectifs. Yn fuan iawn derbyniodd y Ditectif Alan Nurton, Llanelli, wybodaeth ddefnyddiol iawn gan un o ladron y dref. O ganlyniad cafodd wybod gan leidr arall iddo gael cynnig mynd yng nghwmni un o'r enw Brian Wright i gartref hen wraig a chanddi lawer o arian yn ei thŷ. Gwyddai Wright fod ganddi o leiaf £500. Roedd wedi ei gweld wrth i'r hen wraig dalu ei gyflogwr. Ac i bwy oedd Wright yn gweithio? Ie, Daniel Phillips, y gwerthwr glo o'r Doc Newydd.

Roedd Wright wedi cael ei weld yn nhafarn y *Cricketers* tua 6.00 o'r gloch ar y nos Sadwrn ac yna yn y *Great Western* am 9.00, prin hanner milltir o gartref Mrs Williams. Oddi yno aeth i dafarn y *Cambrian*, Stryd y Farchnad ac ymlaen i'r *Farriers Arms* yng Nghwmbach. Yno roedd un o'r enw Julie Banfield wedi sylwi ar ddau smotyn tywyll ar ei grys. Sylwodd hefyd fod cyffs llewys ei grys wedi'u torchi i fyny. Aeth Wright ymlaen i Neuadd Ddawns y Glen, a phan ddaeth y ddawns i ben aeth i'r stafell fwyta lle cynigiodd dalu am fwyd i Mavis Price o Rodfa'r Rhaff a Lynda Jones o Deras Nelson. Gwrthododd y ddwy ond broliodd Wright fod ganddo ddigon o arian a thynnodd allan rolyn trwchus o bapurau punnoedd. Mynnodd ei fod yn ennill £20 yr wythnos yn cloddio gorsaf danddaearol newydd yn Llundain.

Rhamantydd oedd Wright ac ni feddyliai lladron eraill y dref lawer amdano fel rhywun dibynadwy. Dyna pam na wnâi neb gytuno i fynd gydag ef i gartref Mary Jane. Roedd Wright wedi cofrestru ei hun ymhlith y di-waith ond gweithiai hefyd ar y slei. Derbyniai £3 19s 6d o nawdd cymdeithasol a £1 10s 0c y dydd ar rownd lo. Roedd yn byw gyda'i fam-gu mewn carafán yn Stryd Marsh a gadawodd yn gynnar iawn y bore wedi'r ddawns.

Mewn cynhadledd yr heddlu datgelwyd y byddai gwaed o enau Mary Jane Williams yn debygol o fod ar gyffs llewys y llofrudd. Aeth y Ditectif Ringyll Roy Davies (yr awdur) a'r Cwnstabl Gethin Morgan i garafán mam-gu Wright. Yno oedd Wright yn byw. Canfuwyd yno grys gydag olion gwaed ar un o'r cyffs. Roedd Wright wedi ei wisgo ar y dydd Gwener a'r dydd Sadwrn, sef adeg y llofruddiaeth.

Yna clywyd fod gan Wright gysylltiad yn Llundain, Claudette Durham o Highams Park, E 4. Aeth dau swyddog I Lundain, a thrwy gydweithrediad y ferch llwyddwyd i w ddenu i'w thŷ. Arestiwyd ef a gwelwyd iddo aros yng ngwesty *McDonald and Devon*, King's Cross, o dan yr enw A.J. Phillips, 158 Wheeler Street, London, E 1, enw dyn y glo a chyfeiriad ei fam. Yn ei feddiant roedd £400 mewn bwndeli, a'r rheini'n dwyn stamp Banc y Midland, Llanelli a'r dyddiad, 13 Mawrth 1962. Cafwyd £408 arall mewn papurau punnoedd, a bron hanner y rheiny yn dwyn llofnod L.K. O'Brien.

Roedd Wright wedi gwario llawer o arian ar ddillad ac addurniadau personol, ond yn ei feddiant hefyd canfuwyd rhywbeth a ddisgrifiwyd fel 'cortyn du a darn o fetel ar bob pen'. Adnabu brawd Mary Jane ef fel cadwyn wats eu tad.

Cyfaddefodd Wright i'r llofruddiaeth. Roedd wedi gweld yr arian pan aeth i'r tŷ i gyflenwi glo. Aeth yno ar y nos Sadwrn gan ddwyn dros £900, a phan welodd Mary Jane ef ymosododd arni a'i llofruddio.

Plediodd Wright yn euog i'r llofruddiaeth ym Mrawdlys Morgannwg ar 13 Mai 1967. Pedwar munud yn unig a barodd yr achos a dedfrydwyd ef i garchar am oes.

Llofruddiaeth Mary a Samuel Evans

Tyddyn 26 erw oedd Clawddmoel, Cribyn mewn man anghysbell ym Mhlwyf Llanfihangel Ystrad rhwng Llanbedr Pont Steffan ac Aberaeron. Bwthyn unllawr oedd y tŷ byw, gyda dwy stafell yn unig – cegin a pharlwr.

Yn 1919 y teulu a drigai yno oedd Mary Evans, mam weddw 47 oed, a thri mab, Samuel, 22 oed, James, 20 a William Joseph, 16. Roedd yna ddau fab arall, Thomas, 18 oed a weithiai mewn glofa yn Rhydaman, a John Lewis, y brawd hynaf a anwyd i Mary yn 1895 cyn iddi briodi. Yn 1919 roedd John yn y fyddin yn yr Aifft ac mae'r ffaith mai plentyn gordderch ydoedd yn ganolog i'r hanes erchyll oedd i ddigwydd.

Roedd Samuel yntau wedi bod yn filwr, yn aelod o'r Gatrawd Gymreig yn y Rhyfel Mawr cyn ymuno â'r *Royal Warwickshire Regiment*. Bu yn Ffrainc lle cafodd amser caled a bu'n garcharor rhyfel yn yr Almaen am ymron flwyddyn a hanner. Rhyddhawyd ef ar 1 Rhagfyr 1918 a daeth adref i weithio.

Bu James hefyd yn gweithio gartref cyn mynd yn was ar fferm leol. Yna gweithiodd mewn ffatri offer rhyfel ym Mhenbre cyn dychwelyd i weithio gartref unwaith yn rhagor. Disgybl yn Ysgol Sir Aberaeron oedd William, ac arhosai dros nos mewn llety yn y dref honno gan ddychwelyd adref ar benwythnosau. Cysgai yn y gegin, lle cysgai ei fam hefyd, tra rhannai'r ddau arall wely yn y parlwr.

Mary Evans oedd perchennog Clawddmoel a thri bwthyn arall. Roedd ganddi gryn dipyn o arian yn y banc. Roedd ei bywyd wedi'i yswirio am £150 a bywyd Samuel am £100. O dan y ddeddf, y mab hynaf a etifeddai eiddo ei rieni. Ond nid John fyddai hwnnw yn yr achos hwn am ei fod yn blentyn siawns. Samuel, felly, fyddai'n elwa o farwolaeth ei fam.

Wedi i Samuel ddychwelyd o'r fyddin bu trafodaeth rhyngddo ef a'i fam a'i frawd James. Nid oedd digon o waith ar y tyddyn i gynnal y ddau. Pwy, felly, ddylai adael i ennill ei fywoliaeth? Dynlad y fam, yn ôl Samuel, oedd y dylai'r ddau wneud hynny am yn ail ond y dylai Samuel, am ei fod newydd ddychwelyd o'r rhyfel, gael y flaenoriaeth.

Dydd Mawrth, 29 Ebrill, trannoeth i Lun y Pasg, cododd y teulu tua 7.30. Ar ôl brecwast, yn ôl tystiolaeth James, gadawodd Samuel am 10.00 i fynd i Orsaf Ystrad â chert a cheffyl i nôl tair sachaid o giwana. Cyn hynny roedd William wedi gadael am 9.00 gan gerdded i arosfan reilffordd Talsarn i ddal y trên i Aberaeron. Gwelwyd ef gan un o fois yr hewl, Evan Davies, rhwng 8.30 a 9.00 ger Capel Rhydygwin dros hanner milltir o Glawddmoel. Ond roedd Evan Davies hefyd wedi gweld Samuel yn mynd gyda'i gert a'i geffyl tuag at Ystrad, a hynny'n awgrymu iddo adael gryn dipyn yn gynharach na 10.00.

Stori William oedd i'w fam ei ddanfon i gae tatws Maesgolau i ofyn i'r ffermwr a hoffai gael help i blannu tatws. Ond doedd neb yn y cae, felly gorweddodd yno am 20 munud yn lle mynd adref. Meddyliai y byddai'r trên wedi mynd erbyn hynny. Ni feddyliodd am fynd adref i ddweud wrth ei fam nac i alw ym Maesgolau i weld y ffermwr. Yn hytrach aeth i siop *Temple Bar* cyn cerdded i arosfan Talsarn i ddal y trên nesaf i Aberaeron.

Dywedodd James iddo fynd o'r tŷ am farchnad Llambed am 10.30 gan adael ei fam gartref ar ei phen ei hun. Cerddodd ar hyd y llwybr o Glawddmoel i'r ffordd fawr ger y *Cambrian Stores* a chafodd ei gario yng nghert a cheffyl Siencyn Pencnwc, Llangeitho yr holl ffordd i Lambed. Cyrhaeddodd tua chanol dydd a threuliodd y prynhawn yno cyn cael ei gludo adref yn nhrap a phoni David Jones, mab Cwmere. Cyrhaeddodd y ddau *Temple Bar* tua 4.00 ac ar ei ffordd adref cyfarfu â nifer o ddynion; yn ymyl Ffynnonoer cyfarfu â'r plismon lleol, P.C. Jenkins, Ystrad. Aeth ymlaen i Glawddmoel heb weld unrhyw un o gwmpas y lle.

Pan agorodd James ddrws y tŷ, gwelodd gorff ei frawd Samuel ar ei eistedd ar y llawr a'i gorff yn pwyso yn erbyn y pared. Roedd y corff yn stiff a phwll o waed wedi llifo o archoll ddofn y tu cefn i'w ben. Camodd i'r gegin dros gorff ei frawd ac yno gorweddai ei fam yn farw ar y llawr. Roedd wedi'i saethu yn ei phen, a rhan o'i phenglog wedi chwalu. Ymddangosai fel petai'r ddau wedi marw ers oriau. Rhuthrodd Samuel i'r tŷ agosaf, Henardd, Ffynnonoer, cartref Daniel a Margaret Evans gan ddweud, 'Mae wedi mynd yn dro rhyfedd 'ma, mae'r ddau wedi marw. Sam a Mam wedi marw.' Ni soniodd fod y ddau wedi'u saethu.

Aeth Margaret Evans, Daniel Davies, Cwmere a William Evans, fferm Cribyn gyda James i Glawddmoel. Yna cyrhaeddodd y Cwnstabl John Jenkins. Gwelwyd i'r fam fod yn gwau pan laddwyd hi. Roedd pellen o wlân ar y sgiw a hosan ar hanner ei gwau ar y llawr ger y corff gyda'r gweill ynddi a'r edafedd o'r hosan yn arwain at y bellen. Yn anffodus symudwyd y cyrff cyn casglu tystiolaeth lawn ac ni chadwyd pawb allan o'r tŷ. Cysgodd James y noson honno yn yr un stafell â'r cyrff a bu nifer o gymdogion yno hefyd, felly llygrwyd llawer o'r dystiolaeth.

Roedd dau ddryll yn stafell wely Samuel a James, un ohonynt yn eiddo i James. Daliai hwnnw i fynnu iddo adael am Lambed cyn i Samuel ddod adre. Am William, ni allai roi cyfrif am hanner awr o'r amser dan sylw. Roedd wedi prynu beic newydd am £10 10s 0c mewn siop yn Aberaeron wedi oriau ysgol y diwrnod hwnnw. Mynnai fod ei fam wedi rhoi £11 iddo y bore hwnnw heb yn wybod i'w frodyr.

Daeth James a William o dan amheuaeth iddynt lofruddio'u mam a'u brawd er mwyn i James etifeddu'r holl eiddo. Holwyd hwy gan y Prif Gwnstabl Edward Williams. Gwadu'r cyhuddiad wnaeth y ddau ond fe'u harestiwyd a'u gosod gerbron Mr Ustus Bailhache ym Mrawdlys Caerfyrddin ddydd Iau, 30 Hydref. Wedi gwrando ar yr achos, ac oherwydd llawer o groes-ddweud gan dystion, dedfryd y rheithgor oedd 'dieuog' a rhyddhawyd y ddau.

Deil y llofruddiaethau hyn heb eu datrys, ond rhaid pwysleisio i'r ddau frawd gael eu profi'n ddieuog.

Marwolaeth Mabel Greenwood

Ar ôl priodi merch i ddyn cyfoethog iawn, symudodd Harold Greenwood, cyfreithiwr, ei fusnes o Lundain i Lanelli. Ar ôl byw mewn dau dŷ gwahanol, symudodd y teulu i Rumsey House, Cydweli, lle saif Capel Sul heddiw.

Mewn partneriaeth oedd Greenwood cyn mynd ar ei liwt ei hun yn Stryd Frederick, Llanelli. Ganwyd i Harold a'i wraig Mabel bedwar o blant, ond wedi geni'r pedwerydd, bregus iawn fu iechyd Mabel. Ni chymerai ei gŵr salwch ei wraig o ddifrif.

Doedd Harold ddim yn ddyn poblogaidd yn yr ardal. Yn un peth yr oedd yn Sais – Sais haerllug nad oedd yn hoff o'r Cymry ac a fynegai hynny'n aml. Ond yn waeth na hynny roedd yn or-hoff o ferched a chlywyd sibrydion fod ganddo fenyw arall.

Yn Rumsey House ym mis Mehefin 1919 trigai Harold a Mabel gyda'u merch, Irene, a weithiai mewn banc yng Nghaerfyrddin, Kenneth, mab 10 oed a gâi ei addysg yn breifat gartref, a chwaer Mabel, Edith Bowater, a dalai 25 swllt yr wythnos am ei lle. Yno hefyd roedd cogyddes, Margaret Morris, a morwyn 18 oed, Hannah Maggie Williams. Roedd dau o'r plant, Eileen ac Ivor, mewn ysgolion preifat.

Ddydd Sul, 15 Mehefin, gwelodd Maggie Williams fod Greenwood yn ymddwyn yn rhyfedd cyn amser cinio. Bu yn y pantri am tua chwarter awr, rhywbeth nad arferai ei wneud. Wrth hulio cinio, gosododd Hannah y forwyn botel o wisgi, diod arferol Harold, a photel o *Burgundy*, diod arferol Mabel, ar y bwrdd. Yn ystod y cinio Sul arferol gwelodd y ddau yn yfed o gynnwys eu gwahanol boteli tra oedd y plant yn yfed dŵr.

Yn ddiweddarach y prynhawn hwnnw cymerwyd Mabel yn sâl, ac er iddi wahodd ffrind, Florence Phillips, i swper, nid ymunodd â'r cwmni wrth y bwrdd. Wrth i Hannah hulio'r bwrdd swper sylwodd nad oedd y botel *Burgundy* ar y bwrdd bellach. Sylwodd Florence Phillips ar absenoldeb y botel hefyd.

Yn union gyferbyn â Rumsey House trigai meddyg y teulu, Dr Robert Thomas Griffiths. Galwyd arno i weld Mabel tua 6.30. Awgrymodd Harold mai effaith y darten gwsberis a fwytaodd ei wraig amser cinio oedd yn gyfrifol am ei salwch. Danfonwyd Mabel i'w gwely. Yna gyrrodd y meddyg botel o foddion iddi, cymysgedd a oedd yn cynnwys bismwth. Cadwai botel foddion ar un o'i silffoedd, nesaf at botel o doddiant *Fowler*, a oedd yn cynnwys arsenig.

Gwaethygodd cyflwr Mabel a galwodd Florence Phillips am Nyrs Elisabeth Jones, a gyrhaeddodd tua 7.45. Gofidiodd honno o weld lliw rhyfedd ar ei rhyddni. Galwyd ar Harold i nòl y meddyg. Tra oedd yn siarad â chwaer y meddyg, Mary Griffiths, dywedodd Harold rywbeth rhyfedd iawn. Roedd sipsi wedi darllen ei ffortiwn, meddai, ac wedi dweud wrtho y byddai'n mynd ar fis mêl yn fuan.

Yn ystod y nos gyrrwyd Harold i nôl y meddyg unwaith eto. Dychwelodd gan ddweud na allai ddihuno'r meddyg. Aeth y nyrs draw a'i ddihuno heb unrhyw drafferth. Y tro hwn gadawodd ddwy dabled i Mabel eu cymryd. Ar ôl cymryd yr ail dabled, aeth Mabel i gysgu. Bu farw yn ei chwsg tua 3.00 y bore.

Claddwyd Mabel Greenwood mewn arch o goed llwyf, a honno mewn un arall o goed derw, ym Mynwent Eglwys y Plwyf ddydd Iau, 19 Mehefin. Ymhen 23 diwrnod gofynnodd Harold i Gwladys Jones, merch perchennog y *Mercury*, un o bapurau wythnosol Llanelli, ei briodi. Prynodd fodrwy gwerth £55 yn Llundain iddi. Roedd Gwladys eisoes wedi dyweddïo â milwr oedd allan yn India. Gofynnodd i hwnnw ei rhyddhau, a phan na dderbyniodd ateb, cytunodd i briodi Harold. Ond ymhen deufis anfonodd Harold lythyr at Mary Griffiths, chwaer y meddyg, yn dweud ei fod yn ei charu hi yn fwy na'r un ferch arall yn y byd.

Ddydd Mercher, 1 Hydref, priododd Harold a Gwladys yng Nghapel y Bryn, Llanelli. Roedd ef yn 46 a hithau'n 31. Yn y cyfamser gadawodd Irene ei chartref ac aeth i Lundain.

Yna dechreuodd pobl siarad, ac yn dilyn pwysau gan Nyrs Elisabeth Jones yn arbennig, dechreuodd yr heddlu ymchwilio a galwyd am gymorth Scotland Yard. Arweiniwyd yr ymgyrch gan y Ditectif Brif Arolygydd Ernest Haigh. Y diwedd fu i'r Ysgrifennydd Cartref orchymyn datgladdu corff Mabel Greenwood. Yn dilyn archwiliad *post mortem* yn Neuadd y Dref, Cydweli gan Dr Alexander Dick, canfuwyd lefelau uchel o arsenic yn organau'r corff, ac ym marn John Webster o'r Swyddfa Gartref achos y farwolaeth oedd 'gwenwyn arsenig'.

Y canlyniad fu i Harold Greenwood wynebu cyhuddiad o lofruddio'i wraig. Treuliodd bedwar mis yng ngharchar cyn ymddangos ym Mrawdlys Caerfyrddin ar 2 Tachwedd 1920. Denodd yr achos sylw ledled Ewrop ac America. Syr Edward Marlay Samson oedd yn arwain ar ran y Goron, gyda'r enwog Syr Edward Marshall Hall yn amddiffyn.

Honnwyd i Greenwood wenwyno'i wraig drwy ychwanegu arsenig at y *Burgundy*. Profwyd iddo brynu gwahanol gyflenwadau o chwynladdwyr yn cynnwys arsenig. Ond roedd Marshall Hall ar ei orau. Cyhuddodd Hannah Maggie Williams o ddweud celwyddau. Yna cyhuddodd y meddyg, Dr Griffiths, o wrth-ddweud ei hun. Yn wir, cyhuddodd y meddyg ei hun o wenwyno Mabel Greenwood yn anfwriadol drwy roi tabledi morffia iddi yn hytrach nag opiwm a rhoi dos o *Fowler* iddi yn hytrach na'r moddion bismwth. Y gwir amdani, wrth gwrs, oedd fod Mabel eisoes yn wael cyn iddi gael y moddion.

Yna galwodd Hall ar ei dyst allweddol, Irene, y ferch. Mynnodd honno iddi yfed o'r un botel â'i mam heb ddioddef unrhyw salwch. Bu hyn yn ddigon i'r rheithgor ddychwelyd dyfarniad o 'dieuog'. Ond y cwestiwn a arhosai oedd, pam nad oedd Irene wedi datgelu'n gynharach iddi hithau yfed y *Burgundy*? Byddai wedi arbed cynnal achos. Ond, yn sicr, haeddai Marshall Hall bob ceiniog o'i ffî o 750 gini.

Y diwrnod wedi i Greenwood gael ei ryddhau, gwahoddodd newyddiadurwyr i ginio. Ymddiheurodd wrthynt am nad oedd gwin *Burgundy* ar y bwrdd. Ni adawodd Mabel yr un geiniog i'w gŵr yn ei hewyllys ac yn fuan aeth ei fusnes i'r gwellt.

Ond nid dyna ddiwedd y stori. Yn 1922 enillodd Greenwood achos o enllib ym Mrawdlys Caerdydd wedi i ddelw ohono gael ei harddangos mewn siambr arswyd Cwyrwaith Madam D'Arcs rhwng delwau llofruddion fel Charles Peace a Rhoda Willis. Derbyniodd iawndal o £150.

Newidiodd Greenwood ei enw i Pilkington ac aeth ef a'i wraig newydd i fyw i fferm *Paddock* yn Walford ger Ross-on-Wye. Bu farw wyth mlynedd yn ddiweddarach a chladdwyd ef mewn bedd di-gofnod ym mynwent Watton, Deep Dean. Does dim maen yn nodi gorweddfan olaf Mabel chwaith ym mynwent Cydweli.

Fis Hydref 1949 perfformiwyd drama yn Theatr Wimbledon, Llundain yn dwyn yr enw *The Man They Acquitted*. Fe'i seiliwyd ar achos Harold Greenwood.

Marwolaeth Reuben Stewart

Nos Lun, 29 Medi 1919, rhwng 10.00 ac 11.00 o'r gloch roedd nifer o ddynion duon wedi ymgynnull mewn llety yn rhif 40 Stryd Peel, Tiger Bay, Caerdydd i chwarae dis. Meistr y tŷ oedd Edward Griffiths, a dau o'i chwaraewyr oedd Reuben Stewart, 26 oed, dyn tân morwrol o Jamaica ac Edward Warren, neu 'Slim', hefyd o India'r Gorllewin. Roedd Warren yn gyn-filwr o Fyddin Prydain ac wedi gwasanaethu ym Mesopotamia. Pedwar arall a oedd yn rhan o'r chwarae oedd Solomon Luten, Amos Thompson, 33 Stryd Peel, John Black a James Forbes – y pedwar, fel Stewart, yn ddynion tân morwrol.

Roedd Warren yn lletya yn y tŷ, ac yn ystod y chwarae rhwng Stewart ac yntau, enillodd Warren saith gêm yn olynol gan elwa o ddeg swllt ar hugain. Dechreuodd Stewart ddrwgdybio fod dis Warren wedi'i lwytho i roi mantais i'w berchennog. Cydiodd Stewart yn y dis a'i archwilio. Mynnodd fod y dis yn un gwael a gofynnodd i Warren ddychwelyd yr arian a enillodd. Gwrthododd hwnnw ond bygythiwyd gan Stewart y byddai trwbwl os na châi'r arian yn ôl. Ateb Warren oedd, 'Hyd yn oed pe deuai Iesu Grist i lawr, thalwn i ddim ceiniog yn ôl.'

Ailadroddodd Stewart ei fygythiad, a phan ofynnodd Warren iddo a oedd ganddo gyllell, atebodd fod ganddo un ac y torrai Warren yn ddarnau os na châi ei arian yn ôl.

Heriodd Warren ef gan wfftio'r bygythiad. Eisteddai Edward Griffiths â'i ben yn gorffwys ar y bwrdd. Roedd wedi yfed yn lled drwm. Dal i fygwth wnâi Stewart, 'Os na chaf fi fy arian yn ôl, bydd un yn mynd i'r crocbren a'r llall i'r bedd,' meddai. Dal i wfftio wnâi Warren. 'Os fyddi di'n ddigon lwcus i'm lladd i cyn i fi dy ladd di,' meddai, 'mi fyddai i'n bles.'

Closiodd Stewart at Warren, ei gyllell yn ei law y tu ôl i'w gefn a'i fraich chwith wedi'i hymestyn allan o'i flaen. Safodd Warren â'i freichiau wedi'u plethu yn disgwyl amdano. Wrth i Stewart agosáu, cododd Griffiths ar ei draed a cheisio rhwystro'r sefyllfa rhag datblygu'n ymrafael. Ond cymerodd Warren un cam yn ôl, tynnodd rifolfer allan o'i boced a saethu Stewart yn y fan a'r lle. Troedfedd neu ddwy oedd rhwng y ddau pan daniodd yr ergyd.

Baglodd Stewart yn ôl yn erbyn y drws, ei gyllell yn dal yn ei law. Yna disgynnodd i'r llawr, ac wrth iddo ddisgyn cymerwyd y gyllell oddi arno gan Samuel Luten a'i gosod ar silff y ffenest. Rhedodd Warren allan o'r lle â'r rifolfer, yn ôl Luten, yn dal yn ei law. Rhedodd y lleill allan hefyd ond dychwelodd John Black a Lutens bron ar unwaith. Hyd ddrws y tŷ yn unig yr aeth James Forbes ac Edward Griffiths. Dychwelodd Griffiths i helpu Black a Luten i godi Stewart oddi ar y llawr a'i roi i orwedd ar y bwrdd. Cyrhaeddodd gwraig Griffiths i'r stafell ac ar ôl iddi archwilio'r anafiadau ar gorff Stewart dywedodd, 'Lwc owt. Rwy'n mynd i chwilio am y polîs.'

Aeth Griffiths ei hun allan gan weld y Cwnstabl John William John yn ei ddillad ei hun. Roedd hwnnw wedi clywed ergyd y gwn tra oedd yn Stryd Bute ac wedi rhedeg i gyfeiriad y sŵn. Esboniodd Griffiths wrtho fod dyn o'r enw Slim wedi cael ei saethu, ond na wyddai fawr am y digwyddiad am mai newydd gyrraedd adre yr oedd ef a'i wraig. Celwydd oedd y cyfan, wrth gwrs. Mynnodd y Cwnstabl ei fod yn mynd gydag ef i rif 40 Stryd Peel.

Gwelwyd fod Reuben Stewart yn gwaedu drwy ei geg a'i ffroenau a bu farw'n fuan wedyn. Sylwyd fod twll bwled yn llawes ei grys a thrwy ei fest, a'r fwled wedi mynd i'w gesail chwith. Wrth gynnal yr archwiliad *post mortem* canfu Dr Maurice Shipsey fod ceudod y frest yn llawn gwaed wrth i'r fwled rwygo gwythïen fawr ger y galon, treiddio drwy'r ddwy ysgyfaint a dod i stop ym mur y frest ger y gesail dde.

Am 8.30 aeth yr Arolygwr William Thomas i Stryd Peel lle gwelodd Edward Warren y tu allan. Aeth hwnnw i'r tŷ ac yno cafodd ei arestio gan y swyddog. Cyfaddefodd Warren iddo saethu Stewart gan adael y dryll ar y bwrdd. Ond methwyd â chanfod yr arf. Arestiwyd Stewart ar gyhuddiad o lofruddiaeth, yn ogystal ag Edward Griffiths am gynorthwyo Warren i osgoi erlyniad cyfiawnder. Ymddiheurodd hwnnw am ei ran yn yr anfadwaith. Roedd wedi yfed yn drwm y noson honno ac nid oedd ganddo'r ynni i atal y drychineb. 'Maddeuwch i mi'r tro hwn,' meddai. 'Mae'n wir ddrwg gen i.'

Ddydd Sadwrn, 8 Tachwedd, ymddangosodd Edward Warren o flaen Mr Ustus Bailhache ym Mrawdlys Morgannwg gan bledio'n ddieuog. Ei esboniad oedd iddo saethu Stewart wrth iddo'i amddiffyn ei hun. Llewellyn Williams C.B, A.S., Clement Edwards C.B., A.S., a C. Owen Beasley, wedi'u cyfarwyddo gan Mri W.B. Francis & Cooke, Caerdydd oedd yn erlyn, gyda J.A. Lovatt, dan gyfarwyddyd Mri Phoenix & Levison, Caerdydd yn cynrychioli Warren.

Pwysleisiodd yr erlynydd y ffaith nad oedd Warren, pan fygythiwyd ef, wedi ceisio dianc na chymryd cam yn ôl, er y gallai'n hawdd fod wedi gwneud hynny. Petai'n teimlo fod ei fywyd mewn perygl, dylai fod wedi mynd o gyrraedd Stewart. Yn hytrach, heb symud o'r fan, fe saethodd y trancedig yn ei frest. Dyletswydd Warren oedd gwneud popeth o fewn ei allu i warchod ei hun os oedd am geisio profi iddo saethu Stewart i'w amddiffyn ei hun.

Nid oedd unrhyw ddadl ynglŷn â phwy oedd wedi lladd Stewart a derbyniwyd tystiolaeth y pedwar tyst croenddu, Luten, Black, Forbes a Thompson, yn ddigwestiwn. Ond dadl yr amddiffyniad oedd i Stewart fygwth yn ddigon clir y bwriadai ladd Warren os na châi ei arian yn ôl. Roedd hynny'n ddigon i Warren gyflawni'r weithred, a hynny er mwyn arbed ei fywyd ei hun.

Wrth grynhoi esboniodd y Barnwr fod gan y rheithwyr ddau ddewis – dynladdiad neu ladd cyfiawnadwy. Yn yr achos hwn nid oedd cyllell yn arf llai angheuol na'r rifolfer. Petai'r ddau wedi cytuno i ymladd â'i gilydd, y naill â chyllell a'r llall â rifolfer, yna dynladdiad ddylai'r dyfarniad fod. Gallai'r rheithgor, felly, ddychwelyd dyfarniad o ddynladdiad neu un o ddieuog.

Ni wnaeth y rheithgor hyd yn oed godi o'u seddau cyn cyhoeddi dyfarniad o 'dieuog'. Rhyddhawyd Edward Warren a gollyngwyd yr achos yn erbyn Edward Griffiths.

Marwolaeth John Thomas

Crydd oedd Evan Thomas a drigai yn yr Hen Dŷ Capel yn Tin Mill Row, Cydweli ac erbyn Chwefror 1881 roedd ef a'i wraig Letitia wedi cael wyth o blant. Un ohonynt oedd John, a anwyd adeg y Nadolig 1869. Gweithiai'r ferch hynaf yng ngwaith tun y Gwendraeth.

Ddydd Mercher, 2 Chwefror, anfonodd Evan ei fab John â phâr o sgidiau newydd yn costio naw swllt i Margaret Anthony, merch Thomas Anthony, Muddlescwm. Byddai'r plant yn mynd ar negeseuon fel hyn yn aml. Gadawodd John ar ôl cinio o gig eidion, llysiau a bara. Dim ond pum munud o daith ar yr hen goets i Drimsaran a'i hwynebai, ond ni welodd ei rieni ef yn fyw byth wedyn.

Cyrhaeddodd John gartref Margaret Anthony tua 2.00 o'r gloch a derbyniodd John hanner sofren ganddi wedi'i lapio mewn papur brown. Addawodd ddychwelyd gyda'r swllt o newid. Yna cafodd ail ginio o facwn, tatws a bara gan Miss Anthony cyn gadael.

Ymhen rhai oriau, a John heb ddychwelyd, aeth ei rieni i chwilio amdano. Rhwng cartref John a Muddlescwm safai Stockwell House, cartref y teulu Mazey. Roedd gan David a Jane Mazey bedwar o blant, a'r teulu wedi byw yn Llanelli a Phontarddulais cyn symud i Gydweli yn 1879. Gweithiai'r tad, Gwyddel o dras, fel *shingler* yng ngwaith tun y Gwendraeth am rhwng £12 a £15 y mis.

Gyferbyn â chartre'r Mazeys trigai gof o'r enw David Hughes a gwelodd Anne, gwraig hwnnw, John Thomas wrth glwyd cartre teulu Mazey tua 4.00 yng nghwmni un o'r plant, David (iau); clywodd hwnnw'n dweud nad oedd ei fam gartref. Gwelodd John yn mynd i'r tŷ gyda David. Tua'r un adeg gwelwyd y fam yn mynd i'r tŷ.

Yn ddiweddarach roedd Lily Walters, morwyn David ac Anne Hughes, yn bwydo'r ieir pan fu dadl rhyngddi hi a Jane Mazey, gyda Lily'n mynnu fod John wedi galw yn Stockwell House a Jane yn gwadu. Pan glywodd rhieni John am hyn aeth y fam i holi Jane Mazey, ond gwadodd eto i'r plentyn fod yno.

Chwiliwyd am y bachgen drwy'r nos heb unrhyw lwyddiant. Holwyd David Mazey (iau) a'i frawd Benjamin, ond gwadu wnaeth y rheiny i John alw. Ond roedd Benjamin yn beichio wylo pan holwyd ef. Yna cyfaddefodd hwnnw fod John wedi galw i chwarae ac wedi dangos hanner sofren iddo cyn mynd adref. Ond dal i wadu unrhyw wybodaeth wnâi'r fam. Yna newidiodd ei stori. Ymwelodd â Letitia Thomas i ddweud fod John wedi galw gyda hanner sofren aur yn ei feddiant. Roedd John wedi newid yr arian gan roi hanner coron i Benjamin cyn gadael drwy'r ardd.

Afraid dweud i'r ddau frawd ddod o dan amheuaeth, yn enwedig wedi i werthwr glo, William Jones, Brandir Cottage, ddweud fod Benjamin wedi gofyn iddo yn ei siop ar y bore dydd Iau am newid hanner sofren, ond ni allai wneud hynny ar y pryd. Holwyd y ddau gan y Rhingyll Jones ym mhresenoldeb eu mam, y cyfweliad cyfan yn Gymraeg. Roedd y ddau yn eu gwelâu. Y tro hwn gwnaethant gyfaddef i John Thomas alw a dangos hanner sofren iddynt. Ond yna gadawodd drwy'r ardd. Roedd Benjamin yn crio eto. Cafwyd gwybodaeth i'r ddau fod yn gwario arian yn y dref ddydd Iau. Esboniad Benjamin oedd iddynt fenthyca swllt yn enw'i fam oddi wrth un Mrs Simms, er i David ddweud iddynt fenthyca hanner coron.

Stori nesaf Jane Mazey oedd i'w meibion gael hanner coron gan John Thomas. Holwyd y ddau eto gan y Rhingyll Jones a chafodd stori wahanol eto. Yn ôl Benjamin, ei frawd oedd wedi dwyn yr hanner sofren a'i newid. Roedd yr arian oedd yn weddill wedi'i guddio o dan bostyn y llidiart o flaen y tŷ. Ac yn wir, daeth y Rhingyll o hyd i 3s 9½ yno. Daethpwyd o hyd i 2s 7c ger bwlch un o'r caeau cyfagos.

Yna galwyd ar i'r Rhingyll Jones ddod allan – daeth y cais gan David Thomas, Tin Mill Row. Roedd wedi dod ar draws corff John Thomas mewn cwter yng nghyffiniau Stockwell House. Pan glywodd hyn, sgrechiodd Jane Mazey, 'O, Benjamin annwyl i!' Roedd penglog John Thomas wedi'i chwalu. Doedd dim arian yn ei bocedi. Arestiwyd y ddau frawd a'u cyhuddo o lofruddiaeth. Yna arestiwyd y fam ar gyhuddiad o gyfrannu i'r llofruddiaeth.

Yn yr ymchwiliad *post mortem* datgelodd Dr David Jones fod y corff yn sych, er iddi lawio'n drwm ddydd Mercher a dydd Iau; roedd hynny'n awgrymu i'r corff fod o dan do hyd yn gynnar fore dydd Gwener. Amcangyfrifwyd i John farw cyn pump o'r gloch ar y dydd Mercher.

Canfu'r heddlu nifer o wrthrychau a glymai'r bachgen â chartref teulu Mazey, yn cynnwys pib a gariai gydag ef bob amser a gwallt o ben y bachgen ar fwyellgaib. Cynhaliwyd Cwest, a dedfryd y rheithgor oedd 'llofruddiaeth fwriadol gan berson neu bersonau anhysbys'.

Yn gynharach, ym mis Awst 1880, roedd bachgen bach o'r enw John Fisher wedi boddi yn y cob yng Nghydweli tra oedd yn ymdrochi gyda dau fachgen arall. Y ddau oedd David a Benjamin Mazey. Yn yr achos hwnnw dychwelwyd dyfarniad o farwolaeth drwy ddamwain.

Ddydd Llun, 7 Chwefror, ymddangosodd y fam a'r ddau fab o flaen yr Ynadon yn neuadd y dref. Stori'r ddau frawd y tro hwn oedd i John Thomas ddisgyn o ben to. Cyn hynny honnent i'r bachgen ddisgyn oddi ar siglen yn yr ardd. Wrth iddynt gael eu cludo gyda'u mam yn ôl i Lys yr Heddlu yng Nghydweli dywedodd y ddau frawd iddynt wedyn gario corff y bachgen i ben ucha'r ardd a'i gladdu, ond iddynt yn gyntaf fynd ag arian o'i boced.

O ganlyniad i hyn bu'r heddlu'n chwilio yng nghyffiniau Stockwell House a chanfuwyd darn o ymennydd ar glawdd gardd gyfagos ac olion gwaed yn gymysg â baw ar y lôn gerllaw. Dydd Gwener, 11 Chwefror, roedd ymron 400 o bobl wedi gwthio'u hunain i mewn i Lys yr Heddlu yng Nghydweli ar gyfer y gwrandawiad. Ar ôl clywed y dystiolaeth, traddodwyd y tri i sefyll eu prawf. Gwnaethant hynny ddydd Gwener, 13 Mai. Un Mr Bowen oedd yn erlyn ac Abel Thomas yn ei gynorthwyo gyda Bowen Rowlands yn amddiffyn.

Clywyd tystiolaeth am ymdrechion y ddau fachgen i newid yr hanner sofren a honiad y ddau i John farw o ddisgyn yn ddamweiniol, yn gyntaf oddi ar siglen yn yr ardd ac yna haeru iddo ddisgyn o ben to sied. Yn ôl dau feddyg, Dr David Jones a Dr James Arthur Jones, nid oedd yr anafiadau'n gyson â chwymp o'r fath uchder. Ond roedd y meddygon yn amau hefyd a oedd hi o fewn gallu dau mor ifanc i achosi'r fath anafiadau.

Clywyd am olion gwaed a gafwyd ar ddillad y ddau frawd a'u mam. Esboniodd y Barnwr wrth y rheithgor pe deuent i'r casgliad fod y ddau frawd yn euog, ni olygai hynny o angenrheidrwydd fod y fam hefyd yn euog. Pe deuent i'r canlyniad fod y ddau'n ddieuog, yna byddai'n dilyn fod y fam hefyd yn ddieuog. Os byddai ganddynt unrhyw amheuaeth resymol, y carcharorion ddylai gael y fantais.

Pum munud fu'r rheithgor cyn dychwelyd dyfarniad o 'dieuog'. Rhyddhawyd y tri. Erbyn hyn roedd y tad wedi cael gwaith newydd yn yr Old Lodge yn Llanelli a symudodd y teulu i fyw i ardal y Wern yn y dref honno.

Marwolaeth William Gethin Thomas

Un o bleserau mawr cefn gwlad ddechrau'r ganrif fyddai carwriaethau rhwng gweision a morynion ffermydd cyfagos. Ac yn ôl y sôn roedd William Gethin Thomas, gwas Allt y Cog, Felin Wen ger Caerfyrddin, yn ffansïo Lizzie Evans, morwyn Llainddu yn yr un ardal.

Roedd Gethin yn 25 mlwydd oed ac wedi colli ei dad – John Thomas, Bryneiddan, Nantgaredig – yn ifanc. Ailbriododd ei fam Jane â William Walters a symudodd y ddau i rif 13 White Mill yn Felin Wen.

Gwas arall yn Allt-y-Gog oedd John Lewis, 18 oed, ac roedd hwnnw a Gethin yn ffrindiau mawr gyda dau was fferm arall, dau frawd sef William Owen, 20 oed, gwas yn Nhanerdy, Nantgaredig a John Owen, 19 oed, gwas Nantmeillionog ger Felin Wen.

Yn y cyfnod hwn, bron yr unig alwedigaeth oedd ar gael yng nghefn gwlad i bobl ifainc oedd gwasanaethu ar ffermydd. Yn naturiol, deuent yn ffrindiau mawr gan fod ffermydd bryd hynny yn cynorthwyo'i gilydd, ac roedd cymdeithas glòs iawn yn bodoli rhyngddynt.

Thomas Richard Thomas a'i wraig a'i chwaer-yng-nghyfraith oedd yn byw yn Llainddu. Daethant yno yn 1919 o Benygraig, y Rhondda lle bu'r gŵr yn cadw siop groser am dros 40 mlynedd. Fe'i ganwyd yn 1852 a buasai'n ddiacon ym Mhenygraig am 38 o flynyddoedd.

Di-Gymraeg oedd y teulu, a dyna pam, hwyrach, na chawsant eu derbyn i'r gymdeithas Gymraeg naturiol a fodolai yn Felin Wen. Doedd Richard Thomas ei hun chwaith ddim yn eu helpu gan y cyfeiriai at y Gymraeg weithiau fel *a foreign language*.

Roedd nos Sadwrn, 5 Rhagfyr 1925, yn noson oer ond clir gyda'r lleuad bron yn llawn a haenen o eira ar y ddaear yn gwneud pobman bron fel golau dydd. Nos Sadwrn oedd y noson yr âi'r gweision adref at eu rhieni 'â'u golch'. A dyna a wnaeth Gethin Thomas a'i dri ffrind y noson honno.

Trigai wyres i Jane Walters, sef Gracie Thomas, pump oed, hefyd yn rhif 13 White Mill. Cofiai i'w mam-gu ofyn i Gethin a fyddai'n dod adref i ginio drannoeth. O glywed y byddai cig eidion ar y bwrdd yn lle cwningen, yr hyn a gâi fel arfer yn Allt-y-Gog, dywedodd y byddai.

Tua 10.30 nos Sadwrn aeth y pedwar ffrind tua thre ar hyd y ffordd gefn i Lanfihangel Uwch Gwili. Ar eu ffordd galwasant yn Llainddu am fod Gethin yn awyddus i weld Lizzie. Pan gyrhaeddodd y pedwar y clos, roedd Richard Thomas yn sefyll y tu allan i ddrws y tŷ. Gofynnodd beth oedd eu busnes, ac atebodd Gethin ei fod am weld Lizzie. Dywedodd y ffermwr fod y ferch yn ei gwely a gadawodd y pedwar ffrind, un neu ddau ohonynt yn smygu.

Ond dychwelodd y pedwar, a'r peth nesaf a ddigwyddodd oedd dryll yn cael ei danio. Yna clywyd Gethin Thomas yn ochneidio. Trawodd yr ergyd ef yn ei ben nes i un llygad ddod allan o'i soced. Trawyd John Lewis a William Owen hefyd ond dihangodd John Owen yn ddianaf.

Er gwaethaf eu hanafiadau, llwyddodd y tri arall i ddianc hefyd ond roedd Gethin Thomas yn colli gwaed ac yn ei chael hi'n anodd i sefyll. Ymhen chwarter milltir syrthiodd i'r clawdd. Gwyddai ei fod yn marw a gofynnodd i John fynd ag ef i storws Allt-y-Gog i farw yno. Ond roedd John yn awyddus i helpu ei frawd ac aeth gydag ef i fferm Tanerdy.

Tua 11.30 roedd Edward David Evans, fferm Rhiwfelen, yn cerdded ar hyd y ffordd pan welodd Gethin Thomas yn gorwedd tua 100 llath o glwyd fferm Penbryn Park. Llwyddodd y llanc i sibrwd ei fod yn iawn. Ond yn amlwg roedd mewn cyflwr gwael ac aeth Evans i fferm gyfagos Penbryn lle cafodd help y ffermwr, Howell Evans, a'i ddau fab. Erbyn iddynt ddychwelyd doedd Gethin ddim yn medru siarad yn iawn. Erbyn i'r meddyg, Dr Alexander Lindsay, gyrraedd roedd y llanc wedi marw. Cludwyd ei gorff i gartre'i fam mewn gambo. Gethin oedd yr ail fab i Jane Walters ei golli. Bu farw un arall, Jack Thomas o'r *Royal Field Artillery*, ar faes y gad yn Ffrainc yn 1915.

Canfuwyd 36 o belenni ym mhen Gethin Thomas, rhai ohonynt wedi treiddio i'r ymennydd. Aeth yr Uwch Arolygydd Peter Jones i holi Richard Thomas. Mewn datganiad dywedodd i'r pedwar llanc godi ofn arno ac iddo fynd am ei ddryll gan fwriadu tanio ergyd i'r awyr ond i'r dryll danio'n ddamweiniol. Aeth i'r tŷ wedyn a dweud wrth ei wraig, 'Falle y cawn ni ychydig bach o heddwch nawr.' Ond cyn mynd i'r tŷ roedd wedi dilyn y pedwar llanc i fyny'r heol. Cadwyd ef yn y ddalfa.

Yn dilyn gwrandawiad o flaen Ynadon Mainc Sir Gaerfyrddin traddodwyd Richard Thomas i sefyll ei brawf – nid ar gyhuddiad o lofruddiaeth ond o ddynladdiad. Ymddangosodd o flaen Mr Ustus Fraser ar 19 Ionawr 1926 gyda Trevor Hunter yn erlyn a Frank Evans yn amddiffyn. Doedd dim dadl pwy oedd wedi tanio'r dryll. Yr hyn i'w brofi oedd beth oedd bwriad y diffynnydd. Beth oedd yn ei feddwl ar y pryd? A allai gyfiawnhau defnyddio dryll o dan y fath amgylchiadau? 'Na,' oedd honiad yr erlyniad.

Yn y bocs mynnai Richard Thomas iddo feddwl mai lladron oedd ar y clos y noson honno. Cwestiwn yr erlynydd oedd, 'Ydi lladron yn smygu sigaréts wrth dorri i mewn i dŷ?' Ni chafwyd ateb boddhaol. Gan ei bod hi'n noson glir, sut oedd Richard Thomas wedi llwyddo i daro tri allan o'r pedwar heb iddo anelu atynt er iddo ddweud mai tanio i'r awyr a wnaeth?

Gwnaeth William Owen argraff dda wrth nodi nad oedd gan y diffynnydd unrhyw reswm i feddwl eu bod ar berwyl drwg gan fod Gethin Thomas wedi dweud wrtho mai wedi galw i weld Lizzie'r forwyn yr oedd. Ond tyngodd y diffynnydd nad oedd Gethin Thomas wedi dweud hynny.

Gan i Richard Thomas fynd allan i'r ffordd ar ôl tanio'r dryll mynnai Trevor Hunter mai ef, yn hytrach na'r pedwar llanc, oedd yn erlid. Ac os hynny, dyna wrthbrofi unrhyw ddadl ei fod wedi dychryn ac wedi gweithredu er mwyn ei amddiffyn ei hun. Os oedd wedi dychryn, pam na fyddai wedi cilio i'r tŷ?

Ar ôl ystyried y mater, dychwelodd y rheithgor ddyfarniad o 'dieuog' a cherddodd Richard Thomas allan yn ddyn rhydd.

Fel un a wasanaethodd y gyfraith am flynyddoedd teimla'r awdur fod yr achos hwn yn drewi o anghyfiawnder. Mae'r ffaith na chafodd Thomas Richard Thomas ei draddodi ar gyhuddiad o lofruddiaeth o Lys yr Heddlu yn rhyfedd. Yna cafodd ei brofi'n ddieuog o ddynladdiad yn y Brawdlys heb hyd yn oed gael ei ddedfrydu am achosi niwed corfforol neu feddiannu dryll gyda'r bwriad o beryglu bywyd. Ymddengys y cyfan fel pe nad oedd bywyd gwas ffarm yn cyfrif dim ac mai dyna pam y rhyddhawyd y diffynnydd.

Ni fu John Lewis yr un dyn wedi'r digwyddiad. Flynyddoedd yn ddiweddarach aeth i fyw yn Cross Hands, ond dioddefai o iselder ysbryd. Er mwyn ceisio gwella, aeth yn ôl i Felin Wen am gyfnod i aros yng nghartref ei fam. Tra oedd yno cyflawnodd hunanladdiad drwy ei daflu ei hun o dan drên a deithiai o Landeilo i Gaerfyrddin.

Branch	Date
CN	05/05